Wilhelm Johannes Schwarz

Der Erzähler Martin Walser

WILHELM JOHANNES SCHWARZ

Der Erzähler Martin Walser

Mit einem Beitrag
Der Dramatiker Martin Walser
von Hellmuth Karasek

FRANCKE VERLAG BERN

UND MÜNCHEN

Pour Esther Thibaudeau

©
A. Francke AG Verlag Bern, 1971
Alle Rechte vorbehalten
ISBN 3–7720–0899–2

Vorwort

Auf Fußnoten wurde in dieser Arbeit im allgemeinen verzichtet, doch wurde dafür Sorge getragen, daß sich jedes Zitat mit Hilfe der Bibliographie mühelos nachweisen läßt.

Für wertvolle Vorschläge zur Verbesserung der Arbeit danke ich Frau Renate Moisan, Québec, Professor Dr. Hans-Jürgen Greif, Québec, Professor Dr. Wolfgang Ruttkowski, New York sowie Dr. Helmut Bender und Fräulein Cordelia Schneider, Freiburg im Breisgau.

Winter 1970/71   W. J. S.

Martin Walser: «Biographie»

Bei meiner Geburt starben drei Mütter. Im Parterre
jauchzten die Messer vor Freude. Zirka vierzehn
Zungen fand man in meinem Mund vor, als man sich,
nach meinem ersten Schrei, verwundert über
mich beugte. Mein Vater begann mich zu interpretieren.

Im Beichtstuhl griff mir der Pfarrer in den Schlund
und hatte von den zarten Zünglein gleich zirka dreie
ausgerissen. Ich werde sie verbrennen, sagte er und
absolvierte mich.

Ich schwor den ersten Eid und war um eine Zunge ärmer.
Ich bedankte mich für ein Stück Brot, das man mir
schuldig war, und zahlte obendrein mit einer Zunge.

Auf Deiner Haut gedeihen meine Träume, sagte ich
nachts zu einer, die arm an Zungen war. Schon
fror ich im Kopf, verspürte jene Leere, die
ich immer spüre, wenn ich eine Zunge lassen muß.

Solche Sätze lockten mir diverse Frauen dann im Winter
und im Sommer aus dem Mund und nahmen jedes Mal ein
Zünglein mit; daß sie damit was anfangen konnten,
bezweifle ich.

Den Gräbern meiner Mütter und dem Scharfsinn meines
Vaters habe ich je eine Zunge reserviert. Es bleibt
mir für mich selbst noch eine.

Ich sänge gern mit dieser letzten Zunge.
Dazu taugt sie nicht.
Auch wenn ich tief Atem hole, flüstert sie nur.

Gelesen am 16. November 1962 anläßlich der Verleihung
des Gerhart-Hauptmann-Preises in Berlin.

I

Voraussetzungen

Martin Walsers Erzählungen in *Ein Flugzeug über dem Haus*, die 1955 erschienen, stehen noch ganz unter dem Einfluß von Kafka. In wunderlich verschrobenen Parabeln sucht hier ein Autor Klarheit über die verschiedensten Aspekte des modernen Lebens. In der Titelerzählung wird eines von Walsers Lieblingsthemen, die gegenseitige Abhängigkeit von Mann und Frau, auf surreale Weise vorweggenommen. Das zweite Stück dieser Sammlung, «Gefahrenvoller Aufenthalt», mutet wie eine Übung für den späteren Roman *Das Einhorn* an. Was dort zur Erzählperspektive der Rahmenhandlung wird, ist hier bereits die grundsätzliche Lebenshaltung des fiktiven Erzählers: er entledigt sich jeglicher Verpflichtung gegenüber der Gesellschaft, indem er im Bett bleibt – doch die Gesellschaft sucht ihn auf, sie gestattet ihm nicht, sein Dasein «nach seiner Fasson» zu gestalten. Der Amtsarzt erscheint als der Vertreter jener anonymen Macht, die in fast allen diesen Erzählungen bestimmend in das Leben des Individuums eingreift. An Kafkas «Der Schlag ans Hoftor» erinnert die Erzählung «Ich suchte eine Frau»: Ein an sich nichtiger Vorfall wächst in seinen Folgen aus den Proportionen und bestimmt schließlich das gesamte Denken und Handeln des Erzählers. Die Faszination und die Ausschließlichkeit, mit der er sein ganzes Leben auf eine Frau ausrichtet, die er nicht einmal kennt, läßt an Anselms Besessenheit für Orli im *Einhorn* denken. Auch die Bestätigung des Mannes durch die Frau, die Verwandlung eines ehemals einsilbigen Menschen in einen «geschmeidigen Wortefinder», nimmt schon ein wichtiges Motiv von *Halbzeit* und *Einhorn* vorweg. Die Suche nach einer Frau verwandelt sich im Laufe der Erzählung bezeichnenderweise von einem bewußten Willensakt in eine Tätigkeit, die sich «von selbst» vollzieht. Aus der Jagd nach einer bestimmten Person wird in diesem repräsentativen Stück die niemals endende Jagd nach dem Partner, bis schließlich das Ziel aus den Augen verloren und die Jagd selbst das Kernanliegen wird. Walser drückt das so aus: «Für mich war es bloß noch wichtig, auch diese Dame wieder auf der Liste der weiblichen Mitglieder als geprüft abhaken zu können.» *(Ein Flugzeug, S. 32)* Auf diesem Umweg wird der Erzähler doch zu einem nützlichen Mitglied des «Vereins», ja, er verliert im Laufe der Jahre sogar seine ursprünglichen, recht egoistischen Ziele aus den Augen, ohne aber je den eigentlichen Zweck des «Vereins» zu begreifen – eine Symbolik, die wohl keiner weiteren Deutung bedarf.

Der unausweichliche Zwang, den die Umwelt auf den Menschen ausübt, wird in «Der Umzug» mit kafkaesk vergrößernden und verschärfenden Gläsern gesehen. Das Bestreben der jungen Frau in dieser Geschichte, die ihren Eltern beweisen möchte, daß sie einen «ihrer würdigen» Mann geheiratet hat, weist auf Alissas Sorgen in *Halbzeit* hin. Walsers satirische Ausfälle gegen die Alten, gegen «das Establishment», tauchen hier zum ersten Mal auf. Auch das Ausgesetztsein des Menschen in eine fremde, feindliche Umwelt, ein anderes wichtiges Motiv des Walserschen Werkes, kommt in dieser und in der nächsten Geschichte, «Die Klagen über meine Methoden häufen sich», erstmalig zum Ausdruck. Man braucht viel Mut, um dieses Leben zu bestehen, meint der Erzähler der letzteren Geschichte und wählt schließlich (wie später Herr Klaff, *Ehen in Philippsburg*) den vermeintlich unproblematischen Beruf des Pförtners. Er erkennt jedoch schnell, daß trotz seines guten Willens sogar die Anforderungen dieser scheinbar einfachen Stellung über seine Kräfte gehen, und er wiederholt seine resignierende Feststellung vom Anfang der Geschichte: «Jetzt sah ich ein, daß man sogar dazu den Mut eines Sparkassenräubers braucht.» (*Ein Flugzeug*, S. 53) Den Gedanken, daß gerade das unscheinbare Leben des kleinen Mannes den größten Mut erfordert, bringt Walser auch in seinen späteren Werken immer wieder zum Ausdruck. Im *Einhorn* wird der «häufig vorkommende Mensch» ein Held genannt: «Je verwechselbarer er ist, desto größer sein Heldentum.» (S. 93)

«Die Rückkehr eines Sammlers» und «Was wären wir ohne Belmonte» scheinen sich mit Aspekten des Künstlerdaseins und des Kulturbetriebs auseinanderzusetzen. Sie unterscheiden sich von den anderen Geschichten vor allem durch die Erzählhaltung: während alle übrigen Stücke in der Ich-Form verfaßt sind, wählt Walser für «Die Rückkehr eines Sammlers» die Er-Form und für «Was wären wir ohne Belmonte» die Wir-Form. Im ersten Fall handelt es sich um eine größere Distanzierung des Erzählers vom Helden der Geschichte, während im zweiten die Individualität zugunsten des Kollektivs aufgegeben wird. In beiden Studien stehen die Entwürdigungen des irgendwie Andersgearteten, des von der Norm abweichenden Menschen im Mittelpunkt des Interesses. Bonus und Belmonte, die Helden dieser beiden Geschichten, zeichnen sich durch ihr «weiches, weißes Gesicht» (S. 64, 69) und ihre milde Güte aus. Sie sind eher Diener, Handlanger des Kulturbetriebes als ausübende Künstler. Belmonte, der Konzertagent, ist für den Erzähler etwa das gleiche wie das Einhorn für den Erzähler Anselm im Roman *Das Einhorn*. Hier wie da handelt es sich um eine vage, undefinierbare Hoffnung oder Erwartung von Glück, Erfolg oder irgend etwas, das das sonst sinnlose Leben menschenwürdig und lebenswert machen könnte. Um dieser Erwartung willen ist der Künstler oder der Mensch schlechthin bereit, auch die größten Demütigungen zu ertragen. Die Frage, die der fiktive Erzähler hier wie im *Einhorn* stellt, ließe sich übersetzen: was wären wir ohne die Erwartung? Und auch der immerfort lächelnde Sammler wartet auf Anerkennung und kommende Genugtuung für alle seine Demütigungen – mit Zähigkeit und Ausdauer verteidigt er seine Federn gegen das Unverständnis der Menschen und gegen die zerstörenden Auswirkungen der Zeit.

In «Templones Ende» karikiert Walser den Widerstand der älteren Generation gegen alles Neue, ein Thema, das in *Halbzeit* mehrfach wiederaufgenommen wird. Templone verschanzt sich mit Bergen von Zeitungen früherer Jahrgänge in seinem herrschaftlichen Haus und beobachtet voll Argwohn, wie eins der Nachbargrundstücke nach dem andern von verdächtigen, immerfort lachenden Leuten aufgekauft wird. Mit Templone wohnen seine achtunddreißigjährige Tochter, die «wärmere Unterwäsche» trägt, ein vertrockneter Professor mit elftausend Büchern sowie dessen Haushälterin, die einem «gestorbenen Raubvogel» ähnelt. Am Ende findet sich Templone jedoch auch von seinen Mitbewohnern isoliert – ein Gleichnis von der zunehmenden Vereinsamung des Menschen.

«Die letzte Matinee» schließlich ist eine etwas lahme Satire, in welcher wiederum der moderne Kulturbetrieb, hier der Matineebesuch und die Diskussion von «guten Filmen», aufs Korn genommen wird. Walsers Abneigung gegen das künstliche Dasein der «Kulturmacher» (vgl. den Aufsatz «Jener Intellektuelle» und das erste Drittel des *Einhorn)* sowie gegen intellektuelle Frauen (vgl. Anselms Geliebte Gaby, *Halbzeit)* bestimmen den Ton dieser Erzählung.

Mit einem Abschnitt aus der unveröffentlichten Prosaarbeit *Schüchterne Beschreibungen* stellte sich der sechsundzwanzigjährige Martin Walser zum ersten Mal der literarischen Öffentlichkeit vor –

auf der Frühjahrstagung 1953 der Gruppe 47 in Mainz. Die Urteile über diese Premiere fielen relativ positiv aus. Christian Ferber meinte im *Süddeutschen Rundfunk* (Juli 1953): «Eine Überraschung war auch der junge Martin Walser, der, bisher hauptsächlich im Rundfunk tätig, mit einem Abschnitt einer hintergründigen und ernsthaft spielerischen Erzählung bekannt machte.» Eine zweite Lesung vor der Gruppe 47, auf der Herbsttagung 1953 in Bebenhausen bei Tübingen, wurde noch wohlwollender empfangen. Rolf Schroers schrieb in der *Frankfurter Allgemeinen Zeitung* (23. 10. 1953) über Walser: «Eine Tendenz zum Expressionismus, die auch in einer ebenso sorgfältigen wie vorzüglichen Geschichte Walsers erkennbar wurde; eine Ausdruckskunst, die sich sowohl von Kafka als auch von James Joyce hat belehren lassen.» Anerkennung auf breiterer Ebene stellte sich für Walser mit zwei Ereignissen des Jahres 1955 ein: mit dem Erscheinen der Sammlung *Ein Flugzeug über dem Haus* und mit der Verleihung des Preises der Gruppe 47 für die Erzählung «Templones Ende». Charlotte Stephan verkündete wie mit Fanfarenstößen über die sechzehnte Tagung der Gruppe 47 in Berlin: «Der Preis der Gruppe 47 für das Jahr 1955 ist vergeben. Er fiel an den Stuttgarter Martin Walser, Jahrgang 1927. Zwei Berliner Verlage, Hermann Luchterhand und Gebrüder Weiß, hatten ihn mit je 500 DM gestiftet. – Martin Walser, Hörspielautor, Erzähler, Funkregisseur, gehört seit zwei Jahren der Gruppe 47 an. Der Preis wurde ihm mit absoluter Mehrheit für seine Erzählung ‹Templones Ende› zugesprochen.» *(Der Tagesspiegel,* 17. 5. 1955) Wesentlich kühler schrieb Peter Hornung im Regensburger *Tages-Anzeiger* (Mai 1955): «Der diesjährige Preis der Gruppe 47 wurde an Martin Walser (Jahrgang 1927) vergeben, und zwar für seine Erzählung ‹Templones Ende›. Sie ist ein beachtenswertes Exemplar innerhalb des Ringens um eine moderne deutsche *Short Story*, jedoch kompositorisch nicht ganz geglückt.»

Was ist der literarische Wert der Geschichten in *Ein Flugzeug über dem Haus,* zu denen «Templones Ende» gehört? Von der Kritik wurden sie bei ihrem Erscheinen wenig beachtet. Wenn Walser nichts weiter geschrieben hätte, wäre sein Name wohl schon in Vergessenheit geraten. *Ein Flugzeug über dem Haus* steht bedenklich in der Nähe von Epigonendichtung, die Kafkas erprobte Technik gewandt beherrscht, die noch ganz unter dem Einfluß des Vorbildes steht, ohne sonderlich ausgeprägten eigenen Formwillen und originelle persönliche Schöpferkraft zu beweisen. Walser flüchtet hier in eine groteske, kafkaeske Pseudo-Welt, in der die Gesetze und Gewohnheiten unseres Alltags nicht mehr gelten, doch nirgends erreicht er auch nur annähernd die Geschlossenheit und eigenwillige Konsequenz der Kafkaschen Welt. Wichtig sind diese Versuche besonders wegen der Schatten, die sie auf das kommende Werk werfen: kaum ein Thema, kaum ein Konflikt der Romane, der nicht schon in den frühen Erzählungen vorgebildet wäre. Vor allem aber findet Walser schon hier die Perspektive, mit der er auch in seinen späteren Werken die Welt sieht – die Blickrichtung des kleinen Mannes, des unscheinbaren Dutzendmenschen, auf die große Welt.

Anscheinend ermutigt von den ersten bescheidenen Erfolgen, nahm Walser um diese Zeit (1955) die Arbeit an seinem Roman *Ehen in Philippsburg* auf, der 1957 erschien. Mit einem Ausschnitt dieses Werkes hatte er sich bereits im Oktober 1956 den Richtern der Gruppe 47 gestellt, die wiederum wohlwollend, wenn auch nicht gerade enthusiastisch reagierten. Hans Schwab-Felisch schrieb in der *Frankfurter Allgemeinen Zeitung* (1. 11. 1956): «Martin Walser war der einzige, der ein Thema der Nachkriegsjahre aufnahm: die Ehe heute und die Sexualisierung unserer Zeit. Er las das Eingangskapitel eines offenbar breit angelegten Romans, in dem er sehr beachtliche schriftstellerische Fortschritte bewies. Man wird auf diesen zähen und sensiblen Arbeiter achten müssen.» Und Peter Hornung urteilte in der *Passauer Neuen Presse* (16. 11. 1956): «Bei Martin Walser ist noch immer stark der Einfluß Kafkas spürbar. In seinem offenbar sehr breit angelegten Roman *Ehen in Philippsburg* überwiegt das Reflektorische sehr zu seinem Nachteil.»

Der eigentliche große Durchbruch Walsers kam mit dem Erscheinen von *Halbzeit* im Jahre 1960. In den vorhergehenden Jahren hatte sich Walser in Aufsätzen und Geschichten auf diesen Mammutroman vorbereitet – die Kurzgeschichte «Ein Angriff auf Perduz» (1956) zum Beispiel zeigt schon die Grundposition des Helden von *Halbzeit*, nämlich die klägliche Rolle eines Menschen, der verkaufen will, was niemand wirklich braucht. *Halbzeit* wurde von der Kritik wie vom Publikum mit unterschiedlichen Reaktionen aufgenommen, entwickelte sich aber rasch zum Bestseller der Saison.

Es folgten magere Jahre für Walser. Seine Bühnenstücke *Der Abstecher* (geschrieben 1961) und *Eiche und Angora* (1962), besonders aber *Überlebensgroß Herr Krott* (1964) und *Der schwarze Schwan* (1964) trugen eher dazu bei, dem Ruf des jungen Autors zu schaden als ihm zu nützen. Auch die 1964 erschienenen, aber bereits früher geschriebenen *Lügengeschichten* wurden ziemlich kühl empfangen. Von einigen Ausnahmen abgesehen, bleiben diese kurzen Übungen wesentlich unter dem Niveau von *Ein Flugzeug über dem Haus.* Zwar zeichnen sie sich durch die gleiche Wortgewandtheit aus, doch gleiten sie immer wieder ins Wortgeplänkel ab, in die bloße Geschwätzigkeit. Der Einfluß Kafkas ist hier bereits schwächer, verstärkt erscheint schon der ironische Ton der Romane. «Eine Pflicht in Stuttgart» ist das einzige Exemplar dieser Sammlung, das sich durch strenge und zielstrebige Komposition auszeichnet und das wie die Kurzgeschichten in *Ein Flugzeug über dem Haus* vom Ende her konzipiert ist. Die anderen «Lügengeschichten» wirken zerfahren, gekünstelt – fast jede von ihnen könnte beliebig verlängert oder gekürzt werden. Es wäre von vornherein verfehlt, diesen Übungen fest umrissene Sinndeutung geben zu wollen, denn hier versucht offenbar ein junger Autor, auf jeden Fall originell, geheimnisvoll und unverständlich zu sein. Walser selbst schreibt einmal in einem später erschienenen Werk: «Der von der Sprache vergewaltigte Jüngling ... liest so mutig vor, daß die schöne Unverständlichkeit seiner Botschaft zum Erlebnis für alle wird, denen an verständlichen Botschaften nicht mehr gelegen ist.» Und er fährt fort: «Ein Professor, der rasch ein theoretisches Fundament für das Ergebnis jener verbalen Heimsuchung liefert, findet sich immer.» *(Erfahrungen und Leseerfahrungen,* S. 18) Diese beiden Sätze könnten für Walsers *Lügengeschichten* geschrieben worden sein. Zwar verleiht die seltsame Verbindung von Parabel und Satire den meisten dieser Stücke einen gewissen Reiz, doch legt man die Sammlung am Ende etwas enttäuscht, entmutigt und sogar gelangweilt aus der Hand. (In *Beschreibung einer Form* [1961], seiner Dissertation über Franz Kafka, behauptet Walser kühn, jedes echte epische Werk weise das Element der Langeweile auf, wobei er sich auf Staiger und Herder beruft. In umgekehrter Blickrichtung ließe sich hier sagen, daß das Element der Langeweile an sich keinerlei Wert darstellt.) Die Versuchung ist immer groß, einen Schriftsteller nach seinen ersten Werken zu beurteilen. Für eine gerechte Bewertung des Erzählers Walser wäre es sicherlich besser, seine frühen Kurzgeschichten als Übungen zu betrachten und ihn an seinen Romanen und Essays zu messen.

Walsers Sammlung von Aufsätzen, die unter dem Titel *Erfahrungen und Leseerfahrungen* (1965) erschienen, sind teilweise Vorstudien oder Nachträge zu den drei Romanen. In den sieben Teilen der Serie «Ein deutsches Mosaik» bemüht sich der Autor auf eine jetzt immer stärker hervortretende ironische Weise um Klarheit über den Begriff «typisch deutsch», der schon auf Frantzkes Party zu einem Streitgespräch zwischen Edmund und Dieckow führte. *(Halbzeit, S. 603 ff.)* Auch die Episode «Deutsche Szene im Zug», in der ein harmloser Chirurg als KZ-Schlächter verdächtigt wird, findet sich in *Halbzeit* mit der Verwechslung von Dr. Fuchs und Dr. von Ratow vorgeformt. (S. 414 ff.) «Mein neureicher Freund» ist ganz vom Blickwinkel der Swiftschen Satiren geschrieben: der Verfasser bittet die zuständigen Stellen, den Neureichen als untersten Adelsgrad den Ehrendoktor zu verleihen, um ihnen ihre Komplexe zu nehmen. Das letzte Stück der Serie, «Es gibt ein paar deutsche Eigenschaften», ist eine humoristische Interpretation der jüngsten deutschen Vergangenheit, wie sie wiederholt in *Halbzeit* erscheint.

Walsers «Skizze zu einem Vorwurf» könnte man als Prosa-Version zu Grass' Gedicht «In Ohnmacht gefallen» lesen. Hier wie da macht sich der jeweilige Autor über die ohnmächtigen Ritter der Feder lustig, die als «ehrwürdige Neinsager» auftreten, während die tatsächliche Macht in der Welt in den Händen der Wirtschaftsminister liegt. Bei Grass heißt es: «Wir kauen Nägel und schreiben Proteste.» Walser schreibt: «Wir aber sitzen in Europa herum, meistens zurückgelehnt ... manchmal eine Unterschrift gegen den Atomtod, Komiteearbeit, Idealisten ohne Ideale.» *(Erfahrungen, S. 32)*

In dem Aufsatz «Einheimische Kentauren» verbindet Walser solides philologisches Wissen mit dichterischer Ausdruckskraft. Der Verfasser tastet sich hier in das Wesen unserer Sprache vor, besonders in das Wesen oder das Unwesen der Wortverbindungen. Es gelingt ihm, direkte Beziehungen zwischen Sprache und Politik, zwischen Vokabular und Geschichte herzustellen. Unter den zeitgenössischen Schriftstellern gehört Walser offensichtlich zu den wenigen, die wissenschaftlich unanfechtbare theoretische Abhandlungen über unsere Sprache vorlegen können: dieser Aufsatz ist nicht nur interessant und gut lesbar geschrieben, er ist auch lehr- und aufschlußreich – sogar für den Philologen.

Walsers Kommentare zur Literatur sind eine Form der Literaturkritik, die neu in Deutschland ist. Seine Urteile sind wissenschaftlich fundiert, doch entbehren sie jegliches wissenschaftlich-trockene Pathos, jeden Anschein von würdevoller Gelehrsamkeit. Der Verfasser kleidet sie in eine frische, witzige, sehr persönliche Sprache, die munter drauflos plätschert und doch den Kern des jeweiligen Problems genau trifft. In «Hamlet als Autor» schreibt Walser: «Und er erinnert sich, wie glücklich sein Vater applaudiert, wenn Nathan der Weise seine elfenbeinerne Toleranz predigt; wie seines Vaters Gesicht sich verklärt, wenn Goethes Iphigenie die anstrengende Läuterungsgymnastik bis zum Salto ins pure Humane erlernt und gleich auch noch lehrt.» *(Erfahrungen, S. 55 f.)* Walser schreibt lebendige, aktuelle Literaturkritik, er setzt seine Bemerkungen in Beziehung zum Menschen unserer Zeit, zu unserer besonderen geschichtlichen Situation – der Aufsatz «Hamlet als Autor» ist ein gutes Beispiel. Walser untersucht hier die Position der jungen Generation gegenüber der Schuld der Väter, wie sie in seinem Bühnenstück *Der schwarze Schwan* oder in klassischer Form im *Hamlet* zum Ausdruck kommt.

Walsers allzeit bereites Formuliertalent macht auch aus seinen theoretischen Abhandlungen einen amüsanten Lesestoff. In seinem Essay «Vom erwarteten Theater» beschreibt er die Schwierigkeit des zeitgenössischen Autors, eine geeignete Fabel für sein Drama zu finden. Im Tone von *Halbzeit*, mit der zungenfertigen Beredsamkeit Anselm Kristleins fragt Martin Walser: «Hat ein Autor etwa den Eindruck, die Welt sei nach wie vor doch recht grausam oder scheußlich, und rundherum sieht er nur kassenärztlich wohlversorgte Staatsbürger, denen kein unbehebbarer Gram das Gesicht verzerrt – was soll dieser Autor tun?» *(Erfahrungen, S. 60)* Ein zentrales Thema von *Halbzeit* und *Einhorn*, die Gespaltenheit des Menschen in viele Persönlichkeiten oder Rollen, wird hier theoretisch fundiert: «Von jeweils neuer Gegenwart provoziert, entfaltet sich der widerspruchsvolle Reichtum unseres Charakters. Jeder erscheint als ein schwer überschaubares Ensemble von Eigenschaften, das niemals zusammen erklingt: Zeit und Welt rufen die Instrumente nacheinander ab.» *(Erfahrungen, S. 86)* Als Demonstration dieser These führt uns Walser dann in seinen Romanen den «Tausendfalt» Anselm Kristlein vor, der für jede neue Situation eine neue Maske bereit hat.

Einige Gedanken und Maximen aus *Erfahrungen* werden fast in der gleichen Formulierung in den Romanen wiederholt: «Denn ein jeder ist so alt wie seine erste unerfüllte Erwartung.» *(Erfahrungen, S. 122)* In *Halbzeit* heißt es: «Wir sind so alt wie unsere erste unerfüllte Erwartung.» *(S. 359)*

Walsers Aufsatz «Leseerfahrungen mit Marcel Proust» wurde

1958 geschrieben, also zwei Jahre vor dem Erscheinen von *Halbzeit*. Es handelt sich um den Versuch, ein literarisches Vorbild besser zu verstehen und zugleich Klarheit über sich selbst, über den eigenen Weg zu gewinnen. Vieles von dem, was Walser hier über Proust sagt, läßt sich auch auf ihn selbst anwenden. Er schreibt zum Beispiel: «Proust ist durch nichts genauer zu charakterisieren, als durch die Feststellung, daß ihm nichts gleichgültig war; deshalb geschieht in diesem Riesen-Roman so wenig, Proust kommt nicht über ein paar Salons und zwei, drei Orte hinaus, deshalb kommt schon nach dem ersten Band kaum mehr stofflich Neues hinzu, weil Proust nicht fertig wird, in den wiederkehrenden Situationen und Menschen den Wandel zu studieren, dem sie unterworfen sind.» (*Erfahrungen*, S. 140) Dieser Satz könnte über *Halbzeit* geschrieben worden sein, den Roman, an dem Walser zur Entstehungszeit des Proust-Aufsatzes arbeitete.

Das letzte Stück von *Erfahrungen*, «Brief an einen ganz jungen Autor», ist das Glanz- und Paradestück der Sammlung. Walser läßt hier sein Formuliertalent leuchten, um die Eckpfeiler der Gruppe 47 ironisch, doch keinesfalls gehässig zu kennzeichnen. Der folgende Satz über Reich-Ranicki ist typisch für Walsers burschikos blitzenden Stil: «Natürlich will auch er zeigen, daß streunende Adjektive und Vergleiche, die nur noch von verheirateten Entomologen gewürdigt werden können, seine kritischen Sinne beleidigt haben, natürlich reitet auch er gern laut und prächtig über den Markt wie König Drosselbart (der Ahnherr aller Kritiker) und zerteppert Dir Deine Keramik, aber ohne den Oberton einer spröden, fast preußischen Güte kann er einfach nicht schimpfen.» (*Erfahrungen*, S. 160) Wenn Walser über Joachim Kaiser spricht, meint man Kaiser selbst oder einen der dialektisch-verschachtelten Anselm-Sätze aus *Halbzeit* oder *Einhorn* zu hören: «Er findet es hübsch, das sagt er auch, weil er weiß, daß alle wissen, was er sagt, wenn er ein Wort sagt, das er eigentlich nicht sagt.» (*Erfahrungen*, S. 158) In einem großangelegten Finale läßt Walser dann die Starkritiker der Gruppe einzeln über den Laufsteg passieren: «Da sitzt Du also, vor Dir Höllerer, der exakt gemurrt hat, Jens, der nobel-attisch gebrodelt hat, Kaiser, der so gekonnt geseufzt hat, Reich-Ranicki, der spröd-gütig geschimpft hat, und, als hätte er nur eben das Fenster aufgemacht und wieder geschlossen, sitzt da aufrecht zwischen Stühlen der ballistische Redner Hans Mayer.» (*Erfahrungen*, S. 162)

1966 erschien *Das Einhorn* und wurde zum Bestseller des Jahres. Der Roman ist, von Thematik, Perspektive und Gestalten her gesehen, die Fortsetzung und Weiterentwicklung von *Halbzeit*. Verschiedene Andeutungen am Ende des Werkes lassen schon darauf schließen, daß Walser einen weiteren Band (oder weitere Bände) des erzählenden Helden Anselm Kristlein plant.

Das Sammelbändchen *Heimatkunde. Aufsätze und Reden* (1968) enthält politische und gesellschaftskritische Stellungnahmen des Autors aus den Jahren 1965 bis 1968. In dem Aufsatz «Unser Auschwitz» wehrt sich Walser gegen die Tendenz, Auschwitz als das Ergebnis einer Reihe subjektiver Grausamkeiten zu sehen und damit eine Distanz zu schaffen zwischen den «Teufeln» und «Henkern» einerseits und der übrigen Bevölkerung andererseits. Für ihn sind diese Quälereien eher *gegen* das nationalsozialistische System begangen worden – das wirkliche Auschwitz, unser Auschwitz, sieht er als das Werk von Idealisten des Nationalsozialismus, als Teil eines umfassenderen Systems und als Wirkung des Kollektivs, an dem nicht nur die Täter von Auschwitz teilhatten.

In den Essays «Praktiker, Weltfremde und Vietnam», «Auskunft über den Protest» und «Amerikanischer als die Amerikaner» wendet sich Walser gegen den amerikanischen Krieg in Vietnam, den er, seiner Sache ganz sicher, als Verbrechen und als «Menschenjagd-Krieg» von «anachronistischer Brutalität» bezeichnet. Weniger sicher erscheint Walser, wenn er sich mit der Haltung der anderen deutschen Schriftsteller gegenüber dem Vietnam-Krieg auseinandersetzt. Man bemerkt hier zum ersten Mal ein Abgleiten in Spitzfindigkeiten und Rechthaberei, eine Haltung, die verstärkt in «Engagement als Pflichtfach für Schriftsteller», dem letzten Stück des Büchleins, wiederkehrt.

«Heimatkunde», die vierte Nummer der Sammlung, könnte für die Wochenendbeilage einer Lokalzeitung geschrieben worden sein. Walser, dessen erzählerisches Werk eher großstädtischen, fast mondänen Charakter trägt, zeigt sich hier eher als Provinzler und als Heimatkünstler – das Stück ist bezeichnenderweise irgendeinem Landrat gewidmet. (Elemente der Heimatkunst finden sich allerdings auch in den Romanen; schon Enzensberger schreibt ironisch: «Martin Walser ist 1927 in Wasserburg am Bodensee geboren. An diesen Satz glaubt er, auf ihn beruft er sich, er ist seine einzige Gewißheit.» *Einzelheiten*, S. 240 ff.) In einem ähnlichen Ton wie «Heimatkunde» geschrieben sind die «Bemerkungen über unseren Dialekt», in denen

Walser die Konkretheit und die Unbestechlichkeit der Mundart preist: «Der Dialekt entlarvt das Unhaltbare.» Drei Seiten weiter entwickelt er eine Art Butzenscheibenromantik der Mundart: «Der Dialekt ist eben genau so wichtig wie die untergegangene Kindheit. Deren Untergegangenheit ist nicht zu bezweifeln. Unbezweifelbar aber ist auch ihre Nachwirkung. Und ihre mächtigste Wirkung tut sie, kommt mir vor, in ihrem treuesten Zeugen: im Dialekt.» *(Erfahrungen*, S. 57) Diese pathetischen Sätze sind anscheinend ohne ironische Untertöne geschrieben – eine Seltenheit im Werke Walsers.

In dem Aufsatz «Die Parolen und die Wirklichkeit» bekennt sich Walser zu den politischen Ideen, die in *Halbzeit* von dem Linksintellektuellen Edmund vertreten werden. Der Autor scheut sich hier nicht, mit Stammtischweisheiten aufzuwarten: «Es wird heute [1967] keine Alternative mehr angeboten zur Erhardschen Wirtschaftspolitik. Professor Schiller bekennt sich mit einem neuen Vokabular zur alten Politik, die uns einen Haushalt mit Milliarden-Defiziten bescherte und Verpflichtungen, die neue Defizit-Milliarden erzeugen werden. Die öffentlichen Aufgaben wurden vernachlässigt.» Und so weiter. *(Heimatkunde*, S. 62)

Etwas verworren lesen sich Walsers Ideen in «Ein weiterer Tagtraum vom Theater». Wie so oft an anderen Stellen teilt er auch hier ein paar Seitenhiebe auf Goethe aus – wenn Walser Goethe erwähnt, geschieht das in einem negativen Sinn. (Über Schiller dagegen äußert er sich in der Regel auf anerkennende Weise – so auch in diesem Essay.) Walser schreibt über die deutschen Theater: «Das sind doch ... bürgerliche Pflegeanstalten für eine letzten Endes doch von Goethe verschuldete Tradition; der hat das so angefangen und deshalb wird er auch bis zum heutigen Tag in diesen Häusern mehr gespielt als etwa Kleist, der schon zu Lebzeiten zu Goethes repräsentativen Opfern gehörte; diese schönen Schachteln sind mehr für Gerhart Hauptmann als für Sternheim, mehr für Gips als für Nerven, also, was soll's! Sollen die doch ihren asozialen Humanismus pflegen und einander abends über die Rampe hinweg einen Edelfeinsinn in die Ohren schmieren, dessen Wirkungslosigkeit und gesellschaftliche Unanwendbarkeit nach 150 Jahren bürgerlicher Geschichte als garantiert angesehen werden darf.» *(Heimatkunde*, S. 76f.) Walser nennt die deutschen Theater außerdem noch «Ruhestätten des Bewußtseins, Freizeitkirchen, Seelenbadeanstalten» (S. 77) und «Stätten zur Stagnationsfeier». (S. 78) Was der Verfasser an ihrer Stelle vorschlägt, nennt er dem Zeitgeist entsprechend «Bewußtseinstheater», doch bleibt es am Ende etwas im Vagen, was er sich darunter vorstellt: «Die Selbständigkeit der Theateraufführung gegenüber allem realen Vorkommen sollte angestrebt werden. Das heißt: was auf der Bühne gespielt wird, ist selber Wirklichkeit; eine Wirklichkeit aber, die nur auf der Bühne vorkommt. Also kein Abbild mehr aus anderem Material. Keine ideologische Trennung zwischen Kunst und Leben. Et hic vita est; und nicht nur nachgemachtes Leben, sondern originales.» *(Heimatkunde, S. 75)* Fast scheint es, als wolle Walser hier nachträglich eine Rechtfertigungsformel für sein totgeborenes Drama *Überlebensgroß Herr Krott* finden.

Die Renaissance des Romanwälzers und des Romans überhaupt, die in den fünfziger Jahren einsetzte, schien sich in der zweiten Hälfte der sechziger Jahre im Sande zu verlaufen. In den Vordergrund trat die «Dokumentar-Literatur», in der der Verfasser beziehungsweise der Herausgeber «das Leben selbst» sprechen ließ: Oscar Lewis' *Die Kinder von Sánchez*, Alexander Kluges *Schlachtbeschreibung*, Erika Runges *Bottroper Protokolle*, Hans Magnus Enzensbergers *Das Verhör von Habana* und Gillis Perraults *Dossier 51* sind nur einige Beispiele dieses neuen «Romans». Martin Walser blieb nicht hinter seiner Zeit zurück: 1968 veröffentlichte er Ursula Traubergs *Vorleben*, 1969 Wolfgang Werners *Vom Waisenhaus ins Zuchthaus*. Schon in seinem Vorwort zu Elie Wiesels *Die Nacht zu begraben* (1963) meint Walser: «Literatur als Mitteilung ist keine kulinarische Literatur. Sie ist aber, glaube ich, die einzige Literatur, die notwendig ist.» (S. 8) Und im Nachwort zu *Vorleben* schreibt er: «Lebensläufe sind immer noch interessant. Die Romanliteratur der letzten 150 Jahre, die in ihren Kompositionen die Bedeutungen wie Ostereier leicht auffindbar versteckte, hat uns den Geschmack an Lebensläufen fast verdorben, die nachgemachte Authentizität schmeckt uns nicht mehr. Wir glauben nicht mehr, daß einer über andere Bescheid weiß.» (S. 269) Nun, die beiden Bücher von Ursula Trauberg und Wolfgang Werner schmecken nach allem andern als nach «nachgemachter Authentizität», sie sind keine Literatur im eigentlichen Sinn, jedenfalls keine Belletristik, sondern Lebensläufe im Rohzustand. Es sind furchtbare, brutale, beschämende Bücher, für deren Herausgabe man Walser dankbar sein sollte: ein junges Mädchen, wegen Mordes in Untersuchungshaft, und ein junger Mann, der von seinen siebenundzwanzig Lebensjahren etwa vier in

Freiheit verbrachte, erzählen die Geschichten ihres Lebens, die zu einer Anklage unserer Gesellschaftsordnung werden, obwohl sie gar nicht als solche konzipiert sind.

Zur «nachgemachten Authentizität» ist Walser seitdem auch nicht wieder zurückgekehrt. 1970 überraschte er seine Leser mit dem Prosastück *Fiction*, das in einem solchen Maß «Bewußtseinsliteratur» ist, daß es auch unter Walser-Liebhabern und -Kennern nur Verblüffung und Bestürzung hervorrief. Die ersten Sätze dieser seltsamen Bewußtseinsspiegelung: «Ich. Es gibt. Ich gehe. In die Stadt. Eine Menge Menschen. Es gibt immer. Wo ich hinkomme. Eine Menge Bilder. Ich folge. Es kommt mir bekannt vor. Jeder erzählt, daß er ging. Ich ging über den Stachus.» Ein (allerdings konservativer) Kritiker erklärte rundheraus, er würde sich «schämen», wenn er solch ein Buch geschrieben hätte. Immerhin ist es unmöglich, in der gegenwärtigen Folge der Sätze auch nur eine mehr oder weniger logische Gedankenentwicklung zu verfolgen – anstatt der vorliegenden Anordnung 1, 2, 3, 4 und so weiter ließen sich die Sätze ohne ersichtlichen Gewinn oder Verlust in jeder beliebigen anderen Reihenfolge oder gar von hinten nach vorne lesen. Walser selbst ist anderer Ansicht, für ihn haben die Sätze durchaus einen sinnvollen Zusammenhang und eine konsequente Entwicklung. (Vgl. Kapitel «Gespräche mit Martin Walser») Er gibt allerdings gleichzeitig zu, sich mit *Fiction* wohl etwas «zu viel gestattet» zu haben, was wohl heißen soll, er habe die Verständnisbereitschaft und die Aufnahmefähigkeit seiner Leser überschätzt: der Funke springt einfach nicht vom Bewußtsein des Autors zum Bewußtsein des Lesers. Das Positivste, was sich derzeit unvoreingenommenerweise über *Fiction* sagen läßt, ist dieses: vielleicht ist das Bändchen tatsächlich seiner Zeit voraus, vielleicht sind Kritik und Publikum einfach noch nicht vorbereitet für diese Art Literatur, die Literatur im herkömmlichen Sinne widerlegen und aufheben will. Und wenn man bösartig sein wollte, könnte man hier mit Schopenhauer sagen: «Und doch ist nichts leichter, als so zu schreiben, daß kein Mensch es versteht.» («Über Schriftstellerei und Stil», *Sämtliche Werke*, V, S. 608) Eins steht fest: der Schriftsteller Martin Walser, unzufrieden mit den überlieferten Aussagemöglichkeiten, ist auf der Suche nach neuen. Auch sein Aufsatz «Über die Neueste Stimmung im Westen» ist nicht so sehr als Verurteilung von Marshall McLuhan, Chester Anderson, Leslie A. Fiedler und den anderen Propheten der «Neuesten Stimmung» zu verstehen, sondern als Erprobung und Absage einer eventuellen Entwicklungsmöglichkeit. Wohin dieses Suchen führen wird, kann nur die Zukunft zeigen.

Wie Uwe Johnsons *Das dritte Buch über Achim* ist auch Martin Walsers *Das Einhorn* ein Buch über das Schreiben eines Buches. Die fiktive Auftraggeberin des Romans hat Thema und Titel schon festgelegt, nämlich LIEBE. Die Liebe in allen ihren Spielarten ist auch das zentrale Thema von Walsers Werk – nicht nur des *Einhorn*, sondern des Gesamtwerkes. Ist es nach dreitausend Jahren europäischer Geschichte überhaupt noch möglich, etwas Neues, etwas nicht schon tausendmal Vorgebrachtes über solch ein Thema auszusagen? Martin Walser beweist in seinem Werk, daß längst noch nicht alles über die Liebe gesagt worden ist, daß man ihr noch ungeahnte Möglichkeiten abgewinnen kann. Es ist die gleiche Liebe wie in *Romeo und Julia* oder im Märchen, die große Liebe auf den ersten Blick, die alle anderen Überlegungen zweitrangig macht. Bei Walser heißt das «der Blitz» oder «der Donner» oder «das höchste Ohrensausen» oder auch, kaum weniger ironisch, «das Schicksal». Während die Liebenden des Märchens aber glücklich und zufrieden bis an ihr Ende leben, während Romeo und Julia im Tod eine verhältnismäßig leichte Lösung ihrer Probleme finden, zeigt Walser vor allem das Danach. Er demonstriert mit seinen Gestalten, wie die «große Liebe» im täglichen Einerlei kleiner und kleiner wird, bis sich das Wort Liebe schließlich nicht mehr anwenden läßt.

Recht unterschiedlich malt Walser die Wirkung, welche diese Gefühlswandlung auf den jeweiligen Partner hat. Der Mann hat es noch relativ leicht, er läßt die Überreste der abgestorbenen Beziehung hinter sich und rettet sich in die Erwartung einer neuen Leidenschaft. Für die Frau ist es schon schwerer. Kinder, Mangel an Umstellungsvermögen oder einfach das Alter machen ihr diesen Ausweg unmöglich, denn das Feld gehört den Achtzehn- bis Fünfundzwanzigjährigen, während der Mann noch mit vierzig oder fünfzig Jahren «konkurrenzfähig» ist. Die Frauen bei Walser gewinnen denn auch des Lesers besondere Sympathie. Ihre Rolle ist es, den Gatten zu bemitleiden und zu trösten, ihm Unterschlupf und Wärme zu gewähren, wenn die Welt zu launisch und feindlich ist. Der Mann bei Walser hat neben seinem gut entwickelten Selbstmitleid einen unersättlichen Bedarf an Mitleid der anderen, besonders aber der eigenen Frau, auch wenn sie «mit Monatsschmerzen bohrend im Zimmer rumkreucht». *(Einhorn*, S. 372) Denn der Mann bei Walser ist ein Kind, das nie völlig von der Nabelschnur losgekommen ist. In der Frau sucht er letztlich die Mutter, die verlorengegangene Sicherheit der Kindheit. Nicht umsonst sind Walsers Männer fasziniert von großen Brüsten, zu denen sie «hinaufbellen», wie es in der *Zimmerschlacht* heißt. Nicht umsonst sucht Anselm zuerst mit Susanne und dann mit Orli, den beiden Traummädchen von *Halbzeit* und *Einhorn*, die Stätten seiner Jugend auf. Auch Melitta, die Anselm als eine Art gute Fee an den kritischen Stationen seines Lebens erscheint, sieht er immer unter einem Kastanienbaum in Ramsegg, dem Dorf seiner Kindheit. Der Mann bei Walser ist auf die Frau angewiesen. Als Vertreter kann Anselm nur verkaufen, wenn seine Kunden Frauen sind, als Diskussionsredner findet er nur Inspiration, wenn Frauen unter den Zuhörern sind: «Eine einzige genügte. Eine, der zuliebe er diskutieren konnte.» *(Das Einhorn,* S. 130) Jede Enttäuschung, die dem Mann von seiten einer Frau widerfährt, ruft denn auch Reminiszenzen an die Kindheit hervor. Als Anselm im grellen Sonnenlicht die kleinen Makel im Gesicht seiner angebeteten Melitta bemerkt, ist er «traurig wie einer, der die Wege seiner Jugend zugeschüttet oder verwahrlost findet». *(Halbzeit,* S. 867) Ist die Enttäuschung größer, dann ist der Held wie ein Kind mit der ganzen Welt verfeindet, dann zieht er sich von allem zurück – er bleibt einfach im Bett liegen, dem Symbol von Geburt und Tod gleichermaßen.

Rücksichtslose Egoisten sind Walsers Männer, auf den eigenen Vorteil bedachte Wölfe, die wahllos nehmen, was sie bekommen können. Sich selbst verzeiht der Mann alles, jede Niedertracht einer Frau gegenüber, deren Nachteil es ist, daß sie ihn mehr braucht als er sie. Anselm Kristlein sagt sich in der Abschiedsszene mit Gaby, er benehme sich wieder einmal «zum Kotzen»: wenn er jemanden auf der Bühne so handeln sehe, verachte er ihn und fände ihn ganz ekelhaft. Anselm kommt jedoch gleich darauf zu dem Schluß, nur sich selbst könne man so ein Benehmen verzeihen, denn «es gibt keine Grenze der Nachsicht mit sich selbst». *(Halbzeit,* S. 79) In der Liebe sind die Männer Verbraucher, reflektiert Anselm an anderer Stelle, für sie ist Liebe ein «Fremdwort», das sie fleißig üben, während Liebe für die Frau «Muttersprache» ist. Und vielleicht spricht Walser auch für sich selbst, wenn er Anselm Kristlein sagen läßt: « ... ich liebte keinen und keine, und nicht dieses aus Geschwätz gewobene Leben, das so wichtig war, weil es kein anderes gab.» *(Halbzeit,* S. 132)

In den beiden letzten Zitaten manifestiert sich eine wichtige Grundhaltung des Walserschen Werkes – die Fähigkeit des vorgeschobenen Erzählers, sich über die eigenen Schwächen zu erheben und sie aus überhöhter Distanz zu sehen: *Halbzeit* und *Einhorn* erhalten einen guten Teil ihrer Spannung aus dem Unterschied zwischen dem Gesagten und dem tatsächlich Gemeinten. In wenigen Werken der modernen Literatur wird die subjektive, die romantische Ironie in dem Maß wie bei Walser angewandt – der Erzähler der beiden Romane kann die Ereignisse fast nur noch aus ironischer Distanz beschreiben, so sehr ist ihm die von Schlegel und Solger geforderte Perspektive zur zweiten Natur geworden. Manchmal wird Anselm bitter, oft treibt er am Rande der Verzweiflung, wenn ihm die Kluft zwischen Ideal und Wirklichkeit besonders kraß zum Bewußtsein kommt. Er wird dann kritischer, ätzender, aggressiver, die milde dahinplätschernde Ironie wird zeitweilig von beißendem Sarkasmus abgelöst. Die distanzierte Position jedoch verläßt er nur selten, fast nie sagt er direkt und geradeheraus, was er zu sagen hat.

«Mimikry» heißt das erste Kapitel von *Halbzeit*, Mimikry oder Anpassung könnte das ganze Buch heißen. Keine einmaligen, großen Charaktere, die der Welt ihren Willen aufzwingen oder darüber zugrunde gehen, stellt der Autor seinen Lesern vor. Walsers Helden sind keine tragischen Gestalten, sondern Lebenskünstler oder besser: Überlebenskünstler. Denn Anselm Kristlein will vor allem überleben, und überleben heißt anpassen. Wenn es wirklich einen «wahren» Anselm gibt, so tritt er nirgends in Erscheinung; gezeigt wird dagegen ein Anselm, wie die Gesellschaft ihn geformt und verformt hat. Wir können uns nicht einmal vorstellen, was aus Anselm geworden wäre, hätte er einen eigenen, persönlichen Charakter entwickeln können. Anselms Charakter ist die Charakterlosigkeit, nur durch sie kann er den täglich auf ihn einstürmenden Anforderungen der Gesellschaft gerecht werden. Er übt einen überflüssigen Beruf aus, er verkauft Sachen, die niemand wirklich braucht. Walsers Gestalten möchten notwendig, unentbehrlich sein, und bei seinen Freundinnen findet Anselm wenigstens vorübergehend das Gefühl, tatsächlich gebraucht zu werden. Da es keine wirkliche Lücke gibt, die Anselm füllen könnte, schiebt er sich überall dort in das Blickfeld, wo gerade ein Spalt ist. Mimikry (englisch: Nachahmung) – in der ursprünglichen Bedeutung des Wortes – ist etwas fertig Übernommenes, etwas Endgültiges, Unwiderrufliches: die «Nachahmer» tragen Farbe oder andere Kennzeichen ihrer giftigen oder unbekömmlichen «Modelle» und werden deswegen so wie diese von ihren Feinden als Futter verschmäht. Anselm dagegen ist veränderbar. Er kann, er muß sich von der einen Anpassungssituation auf die andere umstellen, wenn er nicht untergehen will. Er ist nicht frei, er kann nicht wählen, welche Farbe er tragen wird, denn die Bedingungen des Wettkampfes stehen fest. Fraglich bleibt lediglich von Tag zu Tag, von Fall zu Fall, ob er wieder mitspielen wird, ob für ihn noch ein Platz da ist. Aus dem neutralen Urzustand des Schlafens erwacht Anselm auf der ersten Seite von *Halbzeit* in einer Welt, die ihn nur dulden wird, wenn er die Rollen aufnimmt, die die Gesellschaft bereit hält. Mimikry als biologisches Phänomen ist genau genommen weder Nachahmung noch Anpassung, denn der sogenannte «Nachahmer» findet sich bei der Geburt fertig ausgestattet, mit den gleichen Eigenschaften des Überlebens versehen wie sein Modell. Aus dem undifferenzierten Anselm dagegen wird der Rollenspieler Anselm, der seine Rolle immer wieder wechseln muß, um einer neuen Situation gerecht zu werden.

Der Gedanke, daß der Mensch nicht als Persönlichkeit, sondern als Rollenspieler in der modernen Gesellschaft auftrete, taucht schon verhältnismäßig früh bei Walser auf. In seiner Dissertation *Beschreibung einer Form*, die er 1951 in Tübingen vorlegte, heißt es: «Auch hier wird es wieder ganz deutlich, daß es in dieser organisierten Welt auf die Rolle, die man spielt, ankommt; nicht auf das Innere, sondern auf das, was einem anhaftet, auf die Funktion.» (S. 58) Walsers Gestalten sind Komödianten, die sich in jede Lebenslage hineinspielen können. Nur wenige von ihnen sind unelastisch, und diese sterben dann auch einen frühen, unnatürlichen Tod. Die anderen aber passen sich an, sie spielen die Rolle, die gerade von ihnen verlangt wird. In der Diskussion zwischen Edmund und Dieckow (*Halbzeit*, S. 603 ff.) vertritt jeder der beiden Streitenden den Standpunkt, den normalerweise der andere einnimmt. Josef-Heinrich vermag wie ein Fachmann über Themen zu sprechen, die er nur vom Hörensagen kennt. Anselm Kristlein gar, Walsers wichtigste Figur, ist ein vollendeter Schauspieler. Laufend kalkuliert er, welche Rolle man von ihm erwartet, welche ihm den größten Nutzen einbringen könnte. Mit seiner Mutter spricht er wie ein «eigensinniger Bauernsohn», mit Edmund benimmt er sich wie ein «gottloser und weltverächterischer Student», mit Josef-Heinrich wie ein Frauenheld. Anselm glaubt, daß besonders die Frau den Mann zwinge, eine Rolle zu spielen, und er bekennt, daß er am liebsten die Rolle eines klugen Mannes spiele. Seine Frau bemerkt, daß er fünf oder sechs verschiedene Sprachen spreche, ohne je die eine mit der anderen zu vermischen: «Meinem Vater gegenüber steht ihm das Vokabular eines patriotischen Professorenstammtischs zur Verfügung und mit Frau Übelhör scherzt er in dreideutigen Anspielungen.» *(Halbzeit,* S. 353) Anselm selbst ist sich durchaus klar darüber, daß er von einer Rolle zur anderen wechselt. (Das Wort «Rolle» kommt in seinem Vokabular immer wieder vor.) Bei seinem ersten Auftreten in der «feinen Gesellschaft» meditiert er: «Ich mußte mir eine Rolle suchen, die noch von keinem anderen gespielt wurde, die aber doch angenehm hineinpaßte in das Stück, das im Großen Salon der Frantzke-Villa immer wieder gespielt wurde.» *(Halbzeit,* S. 584)

In diesem Ausspruch Anselms können wir den Schlüssel finden für den Komplex der Rollenspielerei, die einen so zentralen Platz im Werke Walsers einnimmt. Walsers Menschen sind auswechselbare, unprofilierte Menschen, die sich ihrer Unwichtigkeit in der modernen Massengesellschaft bewußt sind. Umso heftiger wird bei ihnen der Wunsch, auf irgendeine Weise einzig, einmalig zu sein, etwas Besonderes vorzustellen auf dieser Welt, in einem Wort, sich von allen anderen zu unterscheiden. Alissa schreibt in ihr Tagebuch: «Ich will einzigartig sein.» *(Halbzeit,* S. 371) Die Rolle, die Anselm sucht, darf von keinem anderen gespielt worden sein. Wenn er schon keine einzigartige Persönlichkeit sein kann, so will er doch zumindest eine einzigartige Rolle spielen. Wenn er schon nicht aus der Menge herausragt, will er doch wenigstens den *Anschein* von Originalität und Einmaligkeit erwecken. Die Rolle, die er schließlich bei Frantzke adoptiert, ist die eines großen Kochs, obwohl er selbst nie gekocht hat. Später sieht er sich selbst ironischerweise als großen Feldherrn, als «Kollegen» von Hannibal und Scipio, Fridericus Rex und Daun, Hindenburg und Rennenkamp. Als er seine Frau mit Susanne betrogen hat, spielt er die Rolle des entrüsteten, weil zu Unrecht verdächtigten Ehemanns. Man könnte leicht eine lange Liste von Rollen aufstellen, die Anselm mit mehr oder weniger Geschick spielt. Dabei steht er immer auf dem Standpunkt, eine Rolle sei mehr als eine

Rolle, denn man müsse schon eine natürliche Veranlagung oder Tendenz haben, um eine Rolle glaubhaft spielen zu können: «Natürlich sollte man sich nicht gar zu fremde Rollen aufdrängen lassen, weil man sonst unter der Last der Verstellung zusammenbricht.» *(Halbzeit*, S. 118) Sogar in diesen kasuistischen Überlegungen finden wir noch die Sehnsucht des modernen Menschen, mehr zu sein als eine bloße Nummer in der großen Masse.

Noch eine weitere Sehnsucht Anselms beziehungsweise Walsers kommt in vielen Spiegelungen zum Ausdruck: das Verlangen nach Freiheit von gesellschaftlichen Verpflichtungen. Als Anselm erfährt, daß seine Geliebte Dr. Gaby Gestäcker über die Frau in der Sozialdemokratie spricht, gibt er zwar vor, davon beeindruckt zu sein, doch ist seine Reaktion stark ironisch gefärbt: «Auf jeden Fall, Gaby, Anselm freut sich. Politik ist das richtige für Dich, findet er. Und schließlich, meint er, ist es doch wichtig, daß sich jemand um sowas kümmert. Toi, toi, toi, Gaby! Und falls Du Dich aufstellen läßt, meine Stimme hast Du. Wüßt ich doch endlich mal, was ich wählen soll.» *(Halbzeit*, S. 691) Anselm möchte ungebunden seine eigenen privaten Interessen verfolgen, und er denkt voller Abscheu an so etwas «Phantasieloses» wie ein Programm − «am Ende gar noch Krankenkassenreform, Kantinenessenkommission». In seinem Geist sind politische Themen in ein «jämmerliches Eselsgrau» getaucht, und er zieht es vor, über unpolitische Themen zu sprechen. Auch Edmund (eine Möglichkeitsform von Martin Walser) hat eine grundsätzliche Abneigung gegen die existierende Gesellschaftsordnung, doch besitzt er gleichzeitig ein paar vage Vorstellungen von einer anderen, besseren. Anselms Ironie (eine weitere Möglichkeitsform Martin Walsers) dagegen richtet sich gegen beide, gegen die bestehende wie gegen eine mögliche verbesserte Gesellschaft.

Hier kommen wir zu einem verwandten Thema im Werk Walsers, nämlich zum Problem des schriftstellerischen Engagements. Walser hat sich nie als engagierten Schriftsteller gesehen, er lehnte es immer ab, von irgendwelchen Ideologien oder Interessenverbänden in Beschlag genommen zu werden. Er liebt die Rolle des Einzelgängers, des Außenseiters der Gesellschaft. In seinen Romanen macht er wiederholt das Engagement des Schriftstellers zum Ziel seiner Satire: «Der Schriftsteller als Schnellwisser hat auch die Pflicht, selber aufzupassen und nötigenfalls tätig zu werden. Es gibt zwar welche, die als eine Art Oberschriftsteller nicht nur auf sich und die Zeit, sondern auch noch auf die anderen Schriftsteller aufpassen und jeden heftig anstubbsen, der in der Wachsamkeit nachläßt; aber dieses Aufgewecktwerden ist eher peinlich; die Oberschriftsteller benützen dazu nämlich Zeitungsartikel, deshalb will Anselm sich lieber selber anstrengen und das Öffentliche dauernd bespähen: Kataloge von Versandhäusern (ob sie geschmackvoll sind), Wahljahre (ob auch alle Schriftsteller sich nicht zu fein sind für die Politik), die Heimatvertriebenen (ob sie nicht zu radikal sind), die Goethe-Institute (ob sie nicht zu weit nach rechts rutschen), die Studentenverbände (ob sie nicht zu weit nach links rutschen), die Preisjurys (ob sie nicht zu sehr in der Mitte kleben) ... Man nennt das ‹das Engagement›.» (*Das Einhorn*, S. 98) Etwas seriöser drückt sich der Autor in dem Aufsatz «Engagement als Pflichtfach für Schriftsteller» (*Heimatkunde*, S. 103 ff.) aus, wo er das Recht für den Schreibenden beansprucht, seine Bürgerpflicht mit dem Stimmzettel und nicht mit irgendwelchen öffentlichen Auftritten oder dem sogenannten Engagement zu erfüllen. Umso erstaunter ist man dann allerdings, wenn sich Walser am Ende des Artikels mit der gleichen naiven Begeisterung für die Außerparlamentarische Opposition einsetzt, mit der der von ihm früher öfters belächelte Grass für die SPD kämpft. Seine überraschende Wandlung von einem Gegner zu einem Vertreter des Engagements begründet der Verfasser damit, daß die APO-Leute ja auch Außenseiter seien, die man – wie ihn selbst – fast gegen ihren Willen zum Protest provoziert habe. In seinem erzählerischen Werk jedenfalls läßt sich bis heute keinerlei Engagement, keinerlei Heilsbotschaft nachweisen, und die Unsicherheit und Ratlosigkeit über den eigenen Standpunkt, die aus «Engagement als Pflichtfach für Schriftsteller» sprechen, haben dort keinen Eingang gefunden.

Walser weiß um die Ohnmacht des Schriftstellers gegenüber den Ereignissen des Tages – der letzte Satz in dem Bändchen *Ein Flugzeug über dem Haus* erscheint wie ein Bekenntnis, eine nachträgliche Reflexion zu den dargestellten Situationen: «Ich kann das nicht ändern.» Nicht mit den Ideologien und gegensätzlichen geistigen Strömungen unseres Jahrhunderts setzt sich Walser in seinem erzählerischen Werk auseinander, sondern mit den kleinen, den unscheinbaren Geschehnissen des Alltags. Diese jedoch untersucht er mit der Empfänglichkeit und der Überraschungsbereitschaft eines Kindes, dem alles neu ist, mit der Neugier eines Entdeckers, der einen bisher unbekannten Erdteil betritt. Nichts ist für Walser so nebensächlich, als daß es sich nicht als Material oder Vorlage für sein Werk eignete. Der Verkauf eines gebrauchten Wagens ist in unserer Gesellschaft wahrhaftig nichts Einmaliges; zu etwas Einmaligem wird er erst, wenn Walser den Besuch des Verkäufers in einer Kleinbürgerfamilie schildert. Wie für Proust, den er verehrt, gibt es auch für Walser keinen Unterschied zwischen wichtig und unwichtig – alles scheint ihm gleich interessant. In seinem Aufsatz «Leseerfahrungen mit Marcel Proust» schreibt Walser: «Ich halte die unscheinbaren Situationen des Alltags, den die Gleichgültigen den banalen Alltag nennen, für ebenso wichtig wie irgendeine Festwoche voller Metaphysik.» *(Erfahrungen,* S. 142) Und an einer anderen Stelle des Aufsatzes heißt es: « ... Gleichgültigkeit gibt es eigentlich gar nicht in einem Leben, das in der Zeit verläuft, Gleichgültigkeit entsteht bloß aus der Übereinkunft, daß sich etwas wiederhole auf der Welt; aber wer genau hinschaut, der weiß, daß keine Wiederholung mit dem gleichen Namen zu benennen ... ist.» *(Erfahrungen,* S. 139)

Zum Abschluß sollte man hier noch auf die langsame Wandlung Walsers seit dem Erscheinen von *Halbzeit* hinweisen, wie sie besonders in seinen letzten Aufsätzen (zum Beispiel «Ist die Deutsche Bank naiv?», *Der Spiegel,* 24. 8. 1970) zum Ausdruck kommt – die Wandlung von einem ironischen Spötter ohne gesellschaftliche Verpflichtungen zu einem aufgeklärten Marxisten. Ansätze dieser Wandlung finden sich bereits in dem Aufsatz «Über die Neueste Stimmung im Westen» *(Kursbuch 20/1),* in dem sich Walser auf Kosten der jungen, verinnerlichten, narzißtischen und konsequenzlosen Literaten lustig macht, während er gleichzeitig eine Lanze für Grass wegen dessen Bereitschaft zu politischem Engagement bricht: «Ich dagegen muß Grass einfach wieder bewundern, wenn er auf seine SPD-Tour geht; bewundern nicht wegen des Bekenntnisses zum SPD-Inhalt, sondern wegen seiner Fähigkeit, eine praktische Konsequenz zu ziehen; für die Virtuosen der Tour nach innen ist Grass wahrscheinlich gerade durch seine Praxis völlig korrumpiert; diese geradezu rücksichtslose Verbindlichkeit eines Schriftstellers ist ihnen ein schmieriger Greuel.» (S. 30) Wir können heute ziemlich sicher sein, daß die Unverbindlichkeit des Verfassers von *Halbzeit* und *Einhorn* in einem etwaigen dritten Anselm-Roman von einer sozialistischen Grundposition abgelöst sein wird – ganz gleich, ob sich das nun zum Nutzen oder zum Schaden eines solchen Werkes auswirken wird. (Vgl. auch Kapitel «Gespräche mit Martin Walser»)

II

Form und Sprache

Martin Walser ist ein Schriftsteller, der erzählen und unterhalten kann, doch ein Meister der strengen Form ist er nicht. Seine Prosa, sowohl die kurzen Erzählungen als auch der längste Roman, ist von der Miniatur aus bestimmt: nicht durch umspannende, epische Konstruktionen, sondern durch wortreiche Kleinarbeit zeichnet sich seine Kunst aus. Dies Urteil ist nicht als Wert-, sondern als Standortbestimmung zu verstehen. Man merkt Walsers Romanen an, daß sie nicht, wie etwa die Bücher von Günter Grass, nach genau ausgeklügelten Bauplänen konzipiert sind, daß sie auch nicht, wie etwa die Werke Uwe Johnsons, nach einjähriger Denkarbeit niedergeschrieben wurden. Einer von Walsers Helden in *Lügengeschichten* bekennt: «Ich hatte mir keinen genauen Plan gemacht. Ich bin nun einmal am besten, wenn ich improvisiere.» (S. 80) Man könnte sich diese beiden Sätze als Bestandteil von Walsers Poetik vorstellen, als Werkstattbekenntnis des Autors. Bei Walser herrscht die Inspiration von Tag zu Tag vor: das Material, das im Laufe der Woche anfällt, wird Stück für Stück in das wachsende Werk integriert. Anstatt eines a priori festgelegten Bauplans scheint der Autor die Form vorzuziehen, die sich ergibt, wenn man die kleinen Abenteuer des Alltags, den Klatsch der Bekannten und Verwandten, seine täglichen Einfälle und Reflexionen geistreich und wortgewandt zu Papier bringt. Im kleinen Kreise, im Häkelwerk von Zeitabläufen einiger weniger Stunden erweist sich Walser allerdings als Virtuose – der Beschreibung eines Gartenfestes oder einer Verlobungsfeier kann er leicht einen wahren Reichtum an Gesprächen, Wortplänkeleien, Maximen und geschliffenen Betrachtungen abgewinnen.

Walsers erster Roman, *Ehen in Philippsburg*, ist in vier Episoden eingeteilt, in vier Sittenbilder der modernen Bourgeoisie. In jedem Kapitel spielt ein Paar die Hauptrolle, nicht immer ein Ehepaar, wie der Titel vermuten ließe, sondern ein Freundespaar, ein Liebespaar, ein Ehepaar und ein Verlobungspaar. Die beiden Romane *Halbzeit* und *Das Einhorn* muten wie über die Maßen erweiterte, zusätzliche Kapitel von *Ehen* an: die gleiche Sprache, das gleiche Milieu, die gleichen Themen werden wieder aufgenommen, ja einige der Gestalten aus *Ehen* treten wieder auf. Sicherlich bilden *Halbzeit* und *Einhorn* miteinander eine enger verzahnte Einheit als mit *Ehen* – im *Einhorn* wird der Faden der Erzählung dort weitergeführt, wo er am Ende von *Halbzeit* fallengelassen wurde. Die Verteilung des Stoffes auf zwei Bücher ist also eine willkürliche, nur durch veröffentlichungstechnische Betrachtungen notwendig gemachte Lösung, denn die beiden Bände haben zusammen ein Volumen von fast 1400 Seiten. Zweifellos ist *Ehen* auch straffer und formstrenger geschrieben als die beiden langen Romane. Man könnte die einzelnen Kapitel von *Ehen* ohne weiteres als Novellen bezeichnen: es sind «unerhörte Begebenheiten», deren gedrängte Form ohne Umschweife auf einen unausweichlichen Konflikt zuführt. (Ob die bloße Addition von vier Novellen einen Roman ergibt, ist allerdings eine andere Frage.) In *Halbzeit* und *Einhorn* dagegen scheint Walser immer nur munter drauflos zu schreiben, ohne ein notwendiges, absehbares und konsequentes Ende im Auge zu haben. Ein jedes der drei Werke könnte auf seine Art beliebig verlängert oder verkürzt werden. Es ist bezeichnend, daß Walser *Halbzeit* für den endgültigen Druck von 1100 Seiten auf 892 kürzen konnte, während für Übersetzungen nochmals über 200 Seiten gestrichen wurden. Es wäre auch durchaus vorstellbar, *Halbzeit* und *Einhorn* zusammenzulegen und das Ganze wiederum in drei, vier, fünf oder mehr Teilen zu veröffentlichen, ohne daß das Werk irgendwelchen Schaden erlitte. Man denkt hier unwillkürlich an Alfred Döblins Bemerkung: «Wenn ein Roman nicht wie ein Regenwurm in zehn Stücke geschnitten werden kann und jeder Teil bewegt sich selbst, dann taugt er nichts.» *(Aufsätze zur Literatur, S. 21)*

Walsers Romane lassen sich demnach kaum als in sich abgerundete Einheiten bezeichnen. Trotzdem hat man nirgends den Eindruck einer wahllos zusammengestellten Stoffmenge. Die Form seiner Bücher paßt sich den inhaltlichen Voraussetzungen an. Walsers Menschen leben in einer ungesicherten, ungeplanten Welt, nicht in einem Kosmos, sondern in einem Chaos. Weder sie selbst noch der Erzähler oder der Leser vermögen vorauszusehen, welche Wendungen ihr Leben nehmen wird. Nirgendwo deutet der Autor an, mehr zu wissen als seine Gestalten – er sieht das Geschehen nur mit ihren Augen. Noch bei Grass und Johnson – um bei Zeitgenossen Walsers zu bleiben – werfen die Ereignisse einen vagen Schatten voraus. Bei Grass wird dieser Schatten durch zahllose Nebenbemerkungen geschaffen, bei Johnsons *Mutmassungen über Jakob* wird der Ausgang der Handlung, nämlich Jakobs Tod, schon auf der ersten Seite des Buches vorweggenommen. Walsers Menschen dagegen leben für den jeweiligen Tag, und nichts widerfährt ihnen nach irgendwelchen Gesetzen oder vorbestimmten Abläufen. Der Zufall, der in Walsers Welt herrscht, regiert auch die Form seines Werkes, was nicht unbedingt in einem negativen Sinn zu verstehen ist. Denn der Zufall kann ein formkonstituierendes Element darstellen, wenn er konsequent verwendet wird. Gerade aus der scheinbaren Wahllosigkeit, womit der Stoff zusammengefügt wird, erwachsen Wechselbeziehungen zwischen Inhalt und Form, die sich gegenseitig bestätigen und bekräftigen. Und wenn man das einzelne Werk Walsers trotz seiner offenen Form als ein Ganzes bezeichnen kann, so ist dies berechtigt vor allem wegen der Sprache, der Perspektive und der Erzählhaltung.

Walser handhabt die Erzählhaltung auf eine ironisch distanzierte Weise. In *Halbzeit* und *Einhorn* wird abwechselnd in der ersten und der dritten Person erzählt. Die beiden Erzählhaltungen sind jedoch ihrem Wesen nach nicht so sehr voneinander verschieden. Der Erzähler (nicht der Autor) wahrt eine völlige Kongruenz zwischen sich und seinem Medium, gleich ob dieses in der Ich-Form oder der Er-Form auftritt. Nirgends gibt es einen zusätzlichen Erzähler, der den Verlauf der Handlung aus einer anderen Perspektive als der des Helden sieht. Sicherlich präsentiert der fiktive Erzähler bereits Geschehenes, Zurückliegendes, zudem Selbsterlebtes, er weiß also von vornherein um den Ausgang seiner Erlebnisse. Er durchlebt jedoch jede Situation noch einmal mit dem Leser als völlig Unwissender, das heißt, er ist von jeder überraschenden Wendung selbst überrascht, was dem Ganzen etwas Spontanes und Frisches verleiht. Schon in seinen ersten Erzählungen tastet sich der Erzähler schrittweise mit dem Leser zur Wahrheit vor: «Ich löste schon den Schlüssel aus dem klirrenden Bund, da war mir – aber das mußte eine Täuschung sein – als hörte ich was aus unserer – eine Täuschung, ganz bestimmt – aus unserer Wohnung? Sicher nicht.» (*Ein Flugzeug über dem Haus*, S. 107) – Beim Öffnen der Tür stellt er dann fest, daß die Geräusche doch keine Täuschung waren. – In der Episode mit der Nasenbohrerin (*Einhorn*, S. 107 ff.) fragt sich Anselm immer wieder beklommen und erwartungsvoll zugleich, was sein Gegenüber als nächstes tun wird, und der Leser nimmt an seiner Überraschungsbereitschaft teil. Walser ist in dieser Haltung konsequent bis zur Grenze der Pedanterie. Er schreibt zum Beispiel im *Einhorn* «Göl» und «Bibisch», bis Barbara für ihn «Gueule» und «Bibiche» buchstabiert (S. 156).

Der Blickwinkel des Helden wird auf diese Weise völlig zum Blickwinkel des Lesers. Dieser erfährt nichts, was Anselm nicht irgendwie erlebt, denkt, liest oder hört. Auch wenn der Held zeitweise vorwiegend die Züge des Erzählers annimmt, rückt das Geschehen, vom Leser aus gesehen, keineswegs auf eine andere Ebene. Die Verwandlung oder die entsprechende Rückverwandlung vollzieht sich manchmal innerhalb eines einzigen Satzes: «Wo soll man da ein Komma setzen, einen Hörer aufhängen.» (*Einhorn*, S. 117) Die hier demonstrierte Brechung des Stoffes durch einen zwischengeschalteten, «Ich» und «Er» scheinbar vereinigenden Kommentator ändert wenig oder gar nichts am Raum zwischen Handlung und Leser. Was uns durch die Medien «Ich» oder «Er» vorgelegt wird, ist weder im einen noch im anderen Fall das reine Erlebnis, das dem Leser zur Deutung überlassen wird. Es ist bereits ein Erlebnis, das von einem bestimmten Blickwinkel aus gesehen und interpretiert wird: schon die ironische Distanz, mit der grundsätzlich erzählt wird, läßt den Erzähler als solchen nirgends völlig verschwinden, auch wenn er sich nicht direkt nach vorn spielt. In das Blickfeld des Lesers tritt er meist auf eine leicht kokettierende Weise. Er gibt zum Beispiel vor, sich nicht mehr genau an ein bestimmtes Ereignis erinnern zu können: waren es nun vier Teilnehmer bei der Diskussion oder fünf? (*Einhorn*, S. 120 ff.) Gleichfalls mit dem Leser kokettierend wird manchmal ein Unterschied zwischen dem «Ich» und Anselm gemacht: «Ebenso ist es möglich, daß Iᴄʜ ganz und gar nicht großartig finde, was Anselm als großartig von sich berichtet und was manche dafür halten könnten.» (*Einhorn*, S. 189)

Wer ist diese Gestalt, die sich hier als Iᴄʜ bezeichnet? Sie ist keinesfalls ein außerhalb des Geschehens stehender Erzähler, sie ist ebenfalls Anselm in einer seiner Erzählrollen, die er zusätzlich zu den Rollen im aufgezeichneten Geschehen spielt. Walser bezeichnet Anselm einmal als einen «Tausendfalt», und er schreibt: «Wir überlassen das Individuum der für die Individuen zuständigen Oberbekleidungsindustrie. In jedem anderen Bezug aber bitten wir um Achtung vor unserer Dividualität.» (*Einhorn*, S. 190) Walser läßt Anselm folglich hin und wieder nicht nur in der ersten und dritten, sondern sogar in der zweiten Person erscheinen, womit er seinem Helden immer neue Standpunkte und Blickrichtungen verschafft. In

Beschreibung einer Form zitiert er Emil Staiger, nach dem der Epiker sich nicht «erinnert», sondern «gedenkt»: im Gedenken bleibe der zeitliche und räumliche Abstand erhalten. Walser führt diese Formulierung auf Goethes Forderung zurück, der Epiker müsse eine Begebenheit als «vollkommen vergangen» vortragen. *(Beschreibung einer Form,* S. 42 f.) Gerade dieses Gedenken, gerade diesen zeitlichen und räumlichen Abstand sucht Walser zu vermeiden, indem er zur größeren Vergegenwärtigung Anselm den Beobachter in Anselm den Beobachteten verwandelt. Daß sich aus diesen fortwährenden Verwandlungen eine Erweiterung der Perspektive ergibt, versteht sich von selbst. Walsers Perspektivenwechsel könnte man mit der einer Filmkamera vergleichen: auch das Auge der Kamera verwandelt sich vom Blick des Helden in den Blick auf den Helden, also von der Ich- zur Er-Perspektive.

Gelegentlich läßt Walser den einen Anselm mit einem anderen streiten, was nicht nur zur Erheiterung des Lesers geschieht. Einesteils handelt es sich hier um Persönlichkeitskonflikte – Anselms Gewissen, seine innere Stimme, setzt sich beispielsweise mit dem Abenteurer und Frauenverehrer Anselm auseinander. Andererseits lassen sich diese Diskussionen zwischen Anselm und Anselm auch als offenbar gemachte Werkstattprobleme bezeichnen – jede Handlung bedeutet eine Wegkreuzung mit mehreren Richtungen und Möglichkeiten, für die sich der Autor entscheiden kann. Wesentlich in unserem Zusammenhang ist wieder die Tatsache, daß die Entscheidungen vor den Augen des Lesers gefällt werden. Nichts «vollkommen Vergangenes» wird also präsentiert, sondern etwas Geschehendes, etwas sich Vollziehendes. Von diesem Gesichtspunkt aus betrachtet wirkt es denn auch ganz natürlich, wenn die Zeitform an den betreffenden Stellen vom epischen Präteritum zum Präsens überwechselt.

Vor den Augen des Lesers vollzieht sich auch der sogenannte «Gantenbein-Effekt»: eine bereits erzählte Begebenheit wird wieder aufgegriffen, teilweise zurückgenommen und umerzählt. Der Autor scheint in diesen Fällen zu sagen: so ist es, es könnte aber auch so sein. Manchmal handelt es sich um bloße Wunschträume des Erzählers, die von der zweiten Version mit einem größeren Wahrscheinlichkeits- oder Wirklichkeitsgehalt korrigiert werden. Der Autor gesteht einmal an einer solchen Stelle: «Aber das mit den Lippen kann nicht so und auch nicht so ähnlich gewesen sein. So hatte er es vielleicht erwartet.» *(Einhorn,* S. 382) (Kleinere und größere Ansätze dieser Technik finden sich beispielsweise im *Einhorn*, S. 120 ff., S. 252, S. 272, S. 291, S. 438, in *Halbzeit*, S. 731 ff., auch in Form eines kurzen Hörspiels.) Der Erzähler verlangt also keinesfalls vom Leser blinden Glauben für alles, was er vorzubringen hat. Er flicht sogar hier und da ein kleines Wunder ein, um diesen etwa vorhandenen Glauben noch vorsätzlich zu erschüttern. Im *Einhorn* bläst eine unbekannte Dame Zigarettenrauch in die Luft, der sich unversehens in vier Windhunde verwandelt (S. 201). An einer anderen Stelle desselben Buches photographiert Anselm heimlich die badende Orli, die einen Badeanzug trägt, doch auf den entwickelten Bildern erscheint Orli neunundzwanzigmal nackt. Anselm kommentiert ironisch: «Jetzt haben Marne- und Wirtschaftswunder endlich eine Entsprechung im Friedlich-Privaten: Anselm Kristleins Photowunder.» (*Einhorn*, S. 380 f.) Sowohl mit «Gantenbein-Effekt» als auch Wundergeschichten scheint der Autor den Leser darauf aufmerksam machen zu wollen, daß er es nicht mit wirklichen Menschen und Ereignissen, sondern mit literarischen Figuren, mit Erzeugnissen der Phantasie zu tun hat.

In *Ehen in Pihilippsburg* schreibt Martin Walser:

«Es war schon fast Mittag, und die Stadt hatte ihr Morgengesicht eingebüßt, als Beumann durch die Glasschleusen des Hochhauses hinaus auf die Straße trat, auf das Trottoir nur, denn die Straße war jetzt eine wahnsinnig gewordene Blechschlange, die mit gleißenden Gliedern vielhöckrig vorbeiraste, die heiße Luft hin und her zerteilte und sie den Passanten auf dem Trottoir ins Gesicht schlug. Der heiße Anhauch aus Asphalt, Gummi, Benzin und Staub fiel wie eine Plage über die Passanten her, die jetzt mit vorgesenkten Köpfen ihre Richtung hinflohen, um der glühenden Schlucht Hauptstraße so rasch wie möglich zu entkommen. Beumann wehrte sich bald nicht mehr gegen die verbrauchte Luft, er wehrte sich auch nicht mehr gegen die Berührung mit anderen Fußgängern, sein Hemd hatte er schon auf dem Weg zum Hochhaus durchgeschwitzt, seine Hände waren vollends klebrig geworden, seine Lungen hatten sich an die Luft, die es hier gab, gewöhnt; wahrscheinlich reichte die Luft an einem solchen Tag nur bis neun Uhr vormittags, dann müßte eigentlich die Nacht anfangen, der Verkehr aufhören, die Straßen müßten sich leeren, daß die Luft sich wieder erneuern könnte. Beumann dachte, als die Straßenbahnen an ihm vorbeikreischten, die die steife Rückenflosse des Blechungetüms Straße bildeten: am schlimmsten muß es in diesen glühenden Schachteln sein, die Leute beobachten einander beim Schwitzen und strecken noch ihre Hände zu den Halteringen hinauf, daß man, wohin man sich auch dreht, die Nase in eine weit aufgeklappte Achselhöhle streckt.» (S. 11 f.)

Walsers Milieu ist die Stadt, die halbwegs zwischen Provinzstadt und der Asphaltwelt Bert Brechts liegt. Sein Vokabular ist der Welt des Asphalttrotters entnommen, die Walser in allen Einzelheiten zu zeichnen versteht. In dem zitierten Absatz erwähnt er zuerst nur die «heiße Luft», dann ungleich stärker «der heiße Anhauch aus Asphalt, Gummi, Benzin und Staub», dann müder werdend «die verbrauchte Luft», schließlich dreimal nur noch «die Luft», als ob die genauen Eigenschaften nun als ausreichend bekannt vorausgesetzt werden dürften. Gekennzeichnet wird dieser Abschnitt von Substantiven wie «Hochhaus», «Straße», «Trottoir», «Passanten», «Asphalt» und «Blechschlange», von denen einige mehrmals wiederholt werden. Walser scheut sich nirgends in seinem Werk, dieselben Wörter zweimal, dreimal, ja, sechs- und achtmal im selben Absatz zu benutzen. Im vorliegenden Fall will er durch seine gleichsam überdrüssigen Wiederholungen eine monotone, lustlose Situation vor dem Leser heraufbeschwören. An Deutlichkeit läßt das obige Zitat nichts zu wünschen übrig: es ist die erstickende Atmosphäre des Großstadtdschungels, die Walser hier ausmalt. Keinesfalls steht diese Beschreibung hier um ihrer selbst willen, denn Walser zeigt die Umgebung eines Menschen, um ihn selbst in seiner gegenwärtigen Verfassung zu charakterisieren. Was der Leser in diesem Abschnitt über das Großstadtmilieu liest, steht in direktem Bezug zu dem Helden Hans Beumann, und keiner der drei Sätze läßt sich von dem Menschen lösen. Obwohl der Autor so gut wie nichts über dessen inneren Zustand sagt, wissen wir am Ende dieser kurzen Lektüre mehr über ihn, als wenn der Verfasser einen Gedanken Beumanns nach dem anderen vor uns ausgebreitet hätte.

Diese Methode der Charakterisierung ist typisch besonders für das frühe Werk Martin Walsers, und typisch ist auch das verwendete Vokabular. Wenn Beumann aus seinem Fenster blickt, sieht er «rostige Alteisenberge», dazu «Zementröhren, Ziegelstapel, dreibeinige Eisensilos und Großlagerschuppen». (*Ehen*, S. 16f.) Der Mensch hat diese Landschaft zu dem gemacht, was sie heute ist, und durch sie wird der Mensch gekennzeichnet. Walser liebt es, die weniger appetitlichen Seiten der menschlichen Natur von Zeit zu Zeit herauszustellen. Ein Mann, der bei schwerer Arbeit in der heißen Sonne schwitzt, braucht nicht unbedingt abstoßend zu wirken. Ein anderer dagegen, der im Aufzug, im Büro und auf der Straße sein Hemd durchschwitzt, dessen Hände klebrig sind und der dazu noch an die «weit aufgeklappten Achselhöhlen» der Straßenbahnfahrer denkt, dieser Mensch muß einen Widerwillen gegen seinen gegenwärtigen Zustand empfinden.

Martin Walser zeigt in seinen Büchern vor nichts Respekt, und seine Sprache ist eine respektlose Sprache. Wenn sie nicht so wendig und nuancenreich wäre, könnte man sie eine Vertretersprache nennen, denn Walser drückt sich am liebsten flott, burschikos und jargonmäßig aus. Er liebt den familiären Ton von Ausdrücken wie «mir schwante», «meine Alte», «der große Schwof», «Knutschflecken», «Jacke wie Hose», «aber dalli». Einzelne Gestalten Walsers beherrschen diese Sprache meisterhaft. Der Friseur Bert zum Beispiel gefällt sich in Redewendungen wie den folgenden: «Mensch, ich bin doch nicht hier» – «er markiert den feinen Pinkel» – «ausgerechnet Bananen» – «auf die Pauke hauen» – «Holzauge, riechste was» – «drei Meter gegen den Wind» – sein Chef ist «eisern» – Frau Frantzke hat «Marotten». Melitta, seine spätere Frau, nennt Bert einmal eine «blöde Schickse». Susanne hat ein fast noch reicheres Reservoir von solchen Wörtern und Phrasen zur Verfügung: «schnuppeschnurzegal» – «irrsinnig gesprächig» – «Pustekuchen» – «brecht euch ja keine Verzierung ab». Der Meisterjongleur dieses Jargons ist jedoch der frühere Vertreter Anselm Kristlein selbst, und weite Strecken von *Halbzeit* und *Einhorn* sind von einer Art Vertreterkauderwelsch durchsetzt: «Schwule Nuß, Du!» – «im Knast» – «hundertfünfzig Sachen» – «solchen Menkenkes» – «lauter solchen Quatsch» – «in rauher Menge» – «Nullkommanichts» – etwas ist «zum Heulen» oder «zum Kotzen». Eine Unterhaltung der Freunde unter sich wird von Anselm folgendermaßen aufgezeichnet: «Lerry sagte: Edmund, du spinnst. Das nützte mehr als mein ganzes Gequatsche. Erich sagte: es gibt doch bloß Stunk, Jupp, und die Konkurrenz freut sich.» (*Halbzeit*, S. 492) Walser zögert auch keinesfalls, gelegentlich in die Niederungen der deutschen Sprache zu steigen; er spricht von «verscheißern», «Schleimscheißer», «Klugscheißer», «Lahmarsch», «Arschgeige» und «schöne Scheiße». Eine Erklärung beziehungsweise Rechtfertigung über seine Sprache bleibt Walser dem Leser am Ende seiner drei Romane sicherlich schuldig: wie kann der Anselm des *Einhorns*, der ja von der Liebe überwältigt, gebrochen und geläutert im Bett liegt, in derselben schnoddrigen, kessen und frechen Sprache wie der Anselm der *Halbzeit* reden?

Susanne sagt einmal zu Anselm: «Sie können sich gut ausdrücken.» (*Halbzeit*, S. 439) Dieser Satz ist natürlich auch an Walser gerichtet, Anselms geistigen Vater. Der Romancier ist schon dafür kritisiert worden, daß er ohne Plan drauflos schreibe, daß seine Werke formlose Gebilde seien, daß er inhaltlich nur Banalitäten zu bieten habe – kein Kritiker hat meines Wissens zu bestreiten versucht, daß Walser wortgewandt formulieren kann. Im Walser'schen Stil fallen neben dem oben erwähnten Vertreterjargon vor allem die ungewöhnlichen satirisch-ironischen Wendungen auf, welche den betreffenden Stellen eine gewollte Komik verleihen. Der Autor spricht von einem «mickrigen Goldbarschfilet», von einer «beträchtlichen Hand», einem «immergrünen Bettspielzeug» (d. h. eine Frau), einem «schenkelschwingenden Vorwärts», einem «bleistiftspitzenden Geschrei», von einer «familiengewächshaushütenden Glastür» und einem «einundzwanzigkarätigen Instinkt». Aufhorchen beziehungsweise auflesen lassen immer wieder die ungewöhnlich bildhaften, meist mit ironischen Untertönen versehenen Adjektive und Adverbien: «diese reichhaltige Frau», «ausreichendes Haar», «die ziemlich gelungene Brust», «pfauenaugenwerfende Schinkenscheiben», «die beschämend häufig vorkommenden Menschen», «masturbatorisch-ipsatorischer Wortinzest», «schicksalsschlüpfig», «der umwerfende Don Juan», «die äußerlich breite, in ihrer problematisch gewordenen Partie aber unwillkürlich enge Melanie», «jungfräuliche Erbitterung», «diese ausführlichen Gliedmaßen», «die geländegängige Seele», «durchs unaufhörliche Haar», «die ausschweifenden Wiesen». Alle genannten Beispiele stammen aus dem *Einhorn*, keine einzige dieser kuriosen Formulierungen wird zweimal gebraucht. Das einzige auffallende Adjektiv, das bei Walser immer wiederkehrt, ist «ochsenblutrot».

In dem Vorwort «Die notwendigen Schritte» schreibt Walser: «Swift war Swift, weil er Swift war, nicht weil er Swift sein wollte.» (Jonathan Swift, *Satiren*, S. 20) Hier haben wir eine bereits angedeutete Stileigenschaft Walsers – die Wiederholung desselben Wortes oder Ausdrucks im selben Satz oder Absatz, sei es zur Erzielung eines komischen Effekts, zum besonderen Nachdruck, zur Darstellung der Monotonie einer Situation, oder sei es aus bloßer Freude am Spielen mit Wörtern. Diese Charakteristik ist besonders ausgeprägt in *Halbzeit:* «Lambert sang sogar noch ein Lied vom Kartoffelsalat, Alissa und ich musterten den Kartoffelsalat ... ließen uns anregen, mitreißen von vier Dutzend Kartoffelsalatessern, aßen Kartoffelsalat.» (S. 836) Ein andermal heißt es: «Nun wäre er ja gern für das Bestehende gewesen, wenn das Bestehende für ihn gewesen wäre. Natürlich war er dagegen, daß das Bestehende nicht für ihn war, aber er wagte noch nicht, deshalb schon gleich gegen das Bestehende zu sein.» (*Halbzeit*, S. 691) Walser scheut sich nicht, dasselbe Wort auf fünf Zeilen achtmal zu wiederholen: «Was der über mich gesagt hat, habe ich hundertmal über ihn gesagt. Aber daß der über mich gesagt hat, was ich hundertmal über ihn gesagt habe, zu Josef-Heinrich gesagt, zu Justus gesagt, gesagt, wo es mir gerade paßte, und jetzt sagt er das über mich.» (*Halbzeit*, S. 406) Im *Einhorn* kommt das Wort «ja» auf zwei Seiten etwa dreißigmal vor.

Der gewollte Puerilismus in den beiden letzten Zitaten sollte keinesfalls über die Tatsache hinwegtäuschen, daß Walsers Prosa intellektuell, vom Verstand her bestimmt ist – jede gefühlsmäßige Wendung wird nachträglich vom Intellekt gesiebt und gefiltert. Wenn Walser fürchtet, sentimental zu wirken, läßt er gleich eine komische oder sarkastische Phrase einfließen, um das Gleichgewicht wieder herzustellen. In seinem Bericht über die Konversation mit Susanne wird Anselm etwas pathetisch, doch er korrigiert sich sofort und wird wieder der abgebrühte Hans-Dampf-in-allen-Gassen: «Ich konnte nichts sagen. Ihr letzter Satz. Als leide sie an einer Krankheit, als sei sie ein Krüppel! Wie lange humanisieren wir eigentlich die Bestie schon? und mit welchem Ergebnis? O Susanne. Wie ist das Leben doch so. Ja, aber, ach so, und dann sind sie [sic][1] hierhergekommen ...» (*Halbzeit*, S. 458) Wenn Walser Bibelanklänge bringt, geschieht das ebenfalls mit einer Tendenz zum Komischen, leicht Gro-

---

[1] Hier müßte «Sie» stehen. Man findet wohl selten Bücher mit so vielen Druckfehlern wie die Suhrkamp-Ausgaben von *Halbzeit* und *Einhorn.* Nur einige Beispiele: *Halbzeit*, S. 157: «reißen» statt «reisen»; S. 278: «Dein Hand»; S. 284: «zurecht» – vier Zeilen weiter steht «zu Recht»; S. 547: «genanten»; S. 857: «Steptember»; S. 858: Doppelkomma; S. 866: «Kissenbzüge»; S. 889: «in» statt «ihn». *Einhorn,* S. 152: «und und»; S. 240: «desease» statt «disease»; S. 249: «Mesiasin»; S. 251: «Aber»; S. 281: (Zeilen vertauscht); S. 310: «ma douce suer»; S. 381: «he wont bother»; S. 396: «ditchwater»; S. 455: «Häringe»; S. 448, 441: «lieve cruel person»; S. 34: «Zieharmonika». Kommas werden unbekümmert und wahllos gesetzt, etwa *Einhorn*, S. 357: «Ihren Daumen nimmt sie, während der Beobachtungszeit nicht ein einziges Mal in den Mund.»

tesken: «Er weiß nur, daß er verkaufen muß wie andere heilen, töten oder tanzen, und hätte er der Liebe nicht, wäre auch er nur ein tönend Erz und eine klingende Schelle.» (*Einhorn*, S. 512) Wenig «Erhabenes» kommt bei Walser vor, das er nicht mit seiner scharfen Ironie anzukratzen versuchte. Im *Einhorn* heißt es lakonisch: «Überhaupt Berliner. Jeder zweite ein Andreas Hofer. Jeder dritte ein Winkelried. Jeder vierte ein Schill. Jeder fünfte ein Schlesier.» (S. 824) Bilder von unverfremdeter sprachlicher Schönheit kommen eigentlich nur dann vor, wenn Walser den Frauenkörper, die erotischen Reize eines Mädchens beschreibt. Alissa träumt in ihrem Tagebuch: «Was hilft das Lesen, wenn ich trotzdem wieder so jung sein möchte wie damals, als sich meine Brust noch gegen die Bluse sträubte, die ich ihr überzog.» (*Halbzeit*, S. 370).

Walsers Bücher sind gekennzeichnet durch Beschreibung und Reflexion, nicht durch Handlung. Dementsprechend ist sein Stil sehr sparsam mit Verben, doch ist er reich an Adjektiven, substantivischen Konstruktionen und einfachen asyndetischen Aneinanderreihungen von Hauptwörtern. Der folgende Satz mit seinem farblosen Verb ist charakteristisch für Walsers Nominalstil: «Ein Zigarrenschachtelschiff mit Zigarettenschachtelaufbauten, Vorbauten, Terrassen und Terrassen, viel viel feines Geländer, den Löwenanteil aber hatte Glas.» (*Halbzeit*, S. 566) Während der Autor das Tätigkeitswort vernachlässigt, oft sogar gänzlich wegläßt, wendet er seine volle Aufmerksamkeit dem ausdrucksvollen, bildhaften Adjektiv zu: «Das erzene Gebell der Jungvolk-Heimabende, den irdenen Militärjargon, die wegschwebenden Universitätsfloskeln, die garnenden Vertretertiraden, die exakten Beschwörungsformeln des Werbetexters, die Feindschaftstonarten der Partypolyphonie, das kreisende Diskussionsdeutsch. Aber die Nachtwörter, die tollkirschenhaft frischen Tätigkeitswörter und Hauptwörter und Haupttätigkeitswörter!» (*Einhorn*, S. 149)

Welchem Zweck dient diese Aufzählung, dieser Ausruf? Der vorangehende Satz erläutert es: «Ich habe seit der Ministrantenzeit viele Sprachen erlernt und bin bereit, sie alle auszuliefern.» (*Einhorn*, S. 149) Die kaum zu übersehende Ironie dieser Stelle sollte nicht darüber hinwegtäuschen, daß hier wieder so etwas wie ein Programm, eine Werkstattoffenbarung vorliegt. Ein gestelzt-ironisches Bekenntnis über Schreiben und Stil bringt der Dichter zwei Seiten später:

«Im übrigen werde ich, auch mangels Bewußtlosigkeit oder – wie Du sagst – aus bloßer Verklemmtheit, hier und in jeder Öffentlichkeit weiterhin heucheln, eine entzündete Nebensprache sprechen, mit scheinheiliger Textilzunge anzüglich murmeln, werde meine Zuflucht suchen im schlüpfrigen und und [sic] schielenden Vokabular, im katholisch verkrüppelten Wortschatz, werde wirksamen Gebrauch machen von bonbonsüßen Assonanzen, gerade noch möglichen Tätschelwörtern, ins Blut gehenden Fremdwörtchen, sinnverwirrenden Flüssigkeitsbildern, weichen Gehäusemetaphern und starr eminenten Architekturen, werde also verbleiben in der herrlich stickigen Luft der gemeinen Anspielung, im selig machenden Heuchelmief, im prickelnden Code der Sünde, im aufreizenden Zwielicht der Zweideutigkeit, einen feuchten Hehl werde ich machen aus meiner Lust, eine gewindereiche Untugend aus meiner und jedermanns Not.» (*Einhorn*, S. 151f.) Auch dieses Zitat ist, von seiner Aussage einmal ganz abgesehen, ein vorzügliches Beispiel von Walsers mit Adjektiven durchsetztem substantivischem Stil. (Sicherlich gibt es bei Walser auch Sätze mit Verbhäufungen, so zum Beispiel im *Einhorn*: «Hier bebt, ächzt, klirrt und schnauft und hört und lebt alles mit.» [S. 430] Solche Sätze kommen jedoch äußerst selten vor.)

Ein besonders auffallendes Kennzeichen von Walsers Sprache ist das unmittelbare Nebeneinander von Mammutsätzen, die manchmal über eine Seite lang sind, und kurzen, abgehackten Redewendungen. Meist handelt es sich um eine scheinbar große, dramatische Aussage im langen Satz, die dann im kurzen wie durch ein mißstimmiges Echo aufgewogen, wenn nicht widerrufen wird. In *Halbzeit* spricht der Autor zum Beispiel in nicht endenwollenden Sätzen von der deutschen Volksseele, die «für Altpapier und gegen den Kartoffelkäfer glühte», vom Heldenkampf des deutschen Volkes gegen den Kartoffelkäfer und von Onkel Gallus «biochemischen Forschungen», um dann in zwei abrupten Entgegnungen festzustellen: «Meint man. Und irrt.» (S. 570f.)

Die Tendenz zur elliptischen, alles Unwesentliche oder bereits Bekannte ausschaltenden Schreibweise, die sich in solchen Sätzen manifestiert, läßt sich bei Walser noch zu einem anderen Zweck, nämlich zur Vermeidung von Pathos beobachten. Nirgends finden wir starke, bewegende, hochtönende Aussagen – wo wir vom Inhalt her welche erwarten dürften, bringt Walser abgegriffene Redensarten und allgemein gebräuchliche Floskeln. In *Halbzeit* heißt es: « ... aber wenn

Sie Susanne kennten, Gnädigste, dann würden Sie mich nicht fragen, weil ich, gesellschaftlich gesehen, natürlich nichts gegen Dr. Fuchs sagen kann, er hat mir nichts getan, andererseits Susanne, verstehen Sie, Ausbildungsverlust zum Beispiel, Verwandtschaft bloß noch auf Photos zum Beispiel, Verwandtschaft ist was Schlimmes, sagen Sie, ja, wenn man Verwandtschaft um sich hat, aber wenn man keine mehr hat, verstehen Sie, da ist es plötzlich so geräumig auf der Welt, Sie müssen elend weit fahren, bis Sie einen treffen, und daß Sie Onkel Jakob gleichsehen, läßt sich nicht mehr richtig beweisen, weil Onkel Jakob, Sie wissen ja, und so eine Äußerlichkeit ist das auch wieder nicht, wenn Sie ganz gern wüßten, wie das aussieht, wenn Sie lachen, dazu brauchen Sie aber Cousine Berta, Cousine Berta aber ist, Sie wissen ja, und das ist das Dumme ...» (S. 816) Anstatt zu schreiben, «Onkel Jakob (oder Cousine Berta) ist im KZ umgekommen», benutzt Walser zweimal die an sich farblose Redewendung «Sie wissen ja», und da Susanne Jüdin ist, weiß der Leser ohnehin, was ausgespart worden ist. Es handelt sich also hier nicht um eine mit kargen Mitteln ausgestattete Umgangssprache, sondern um Ellipsen, mit denen der Autor jegliche Dramatisierung und billige Effekthascherei zu umgehen sucht.

Diesem Zweck dient auch Walsers Anwendung von Allgemeinplätzen und nichtssagenden Füllwörtern, die so oft gebraucht werden, daß sie längst jede Farbe eingebüßt haben. Walser weist ihnen eine neue Funktion zu, indem er mit ihrer Hilfe das Niveau, die Intensität der Aussage reduziert, also eine Art Antiklimax herstellt. Anstatt der erwarteten rhetorischen Steigerung bringt der Autor Ausdrücke wie «na also», «und so weiter», «zum Beispiel». Den vorgeformten, gebräuchlichen Ausdruck verschmäht Walser auch dann nicht, wenn es sich um so abgedroschene Formeln wie «kurz und gut», «mit allem Drum und Dran», «noch und noch», «fix und fertig» oder «gang und gäbe» handelt.

Hier sollte man gleichzeitig von Walsers starker Vorliebe für Alliterationen sprechen, die sich überall in seinen Werken nachweisen läßt. Schon in *Ein Flugzeug über dem Haus* schreibt der Autor von «Händen und Haaren» (S. 57), «Stimmenstreit steigerte» (S. 57), «weiches weißes Gesicht» (S. 64, S. 69), «lächelnd lauschend» (S. 63), «Immer weniger Worte hatten wir gewechselt. Wir warteten» (S. 70). Zweimal spricht der Autor hier von «Schimmel, Staub und Spinngeweben» (S. 56, S. 59), was streng genommen natürlich nicht mit-

einander alliteriert. Die folgenden Beispiele stammen aus *Halbzeit:*
«ohne weiteres ein Wunder wirkte» (S. 794) – «von Stromstößen
geschüttelt, schlenkernd und schlagend» (S. 86) – »Dein Sog Alissa
der saugt saust segnet saisiert mich sekkiert» (S. 682). Im *Einhorn*
schreibt Walser unter anderem: «wirklich weniger wichtig» (S. 133)
– «verdorre doch Du mit Deinem Tasmanien» (S. 211) – «laut und
lang lachen ließ» (S. 47) – «schlicht und schlecht» (S. 196) – «Zirka
zwanzig Zuhörerinnen ... Zirka hundert Zuhörer zischten» (S. 131) –
«Wörter weiterwaten» (S. 16) – «schürft schattige Schluchten»
(S. 17 f.) – «Es rollt, kollert, klingt nach Kastanien» (S. 28) – «Bei
der Schmelze schluchzende Schnee» (S. 43) – «müde wären wir schon,
wenn wir wüßten wovon oder wessen, aber weil wir nicht wissen,
wovon oder wessen» (S. 294). Angesichts dieser Beispiele, die sich
beliebig vermehren ließen, kann man kaum noch von Zufall sprechen. Dies ist Lautmalerei, dies sind Spiele mit Wort und Klang,
vergleichbar mit Walsers ironisch-verspielten Wortwiederholungen
und Satzumdrehungen: «Ich komme Ihnen bis Zürich entgegen,
wenn Sie mir bis Zürich entgegenkommen.» (*Einhorn,* S. 195) Oder:
«Er geniert sich, weil er sich nicht geniert, vor ihr die Nägel zu
putzen.» (*Einhorn,* S. 195)

Ebenfalls ironisch-verspielt, manchmal auch ironisch-verzerrt, erscheinen die zahlreichen Zitate und Parodien aus allen Bereichen des
Lebens. Ganz selten will Walser an solchen Stellen jemand angreifen
oder lächerlich machen. Meistens greift er einen allgemein bekannten
Satz auf, den er dann zum komischen und erheiternden Effekt leicht
abändert und seinem Gedankengang anpaßt. Walser parodiert Hit-
ler: «Hört, wie mein R rollt! seht, wie meine Schläfenadern schwellen,
der Blick mir starr wird, der Atem röchelt vor Paroxysmus, welcher
ist die heilige Krankheit der Begeisterung, ich werde U-Boote bauen,
U-Boote, U-Boote, U-Boote und Panzer, noch mehr Panzer, die meisten Panzer, und die Vitrinen zertrommeln mit den U-Booten meiner
Panzerfäuste, Kameraden, zusammengeschweißt ...» (*Einhorn,* S. 63)
Im gleichen Werk parodiert er Luther: «Eure Weiber sind Eure
Äcker, pflügt sie, wie Ihr wollt ...» (S. 205) Dann den Papst: «Mit
brennender Sorge ...» (S. 130) Dann bekannte Dichter: «Allüberall»
– «ein Sommermorgentraum» – «Edel sei der Mensch, hilfreich und
ein Berliner» – «Einen Keuscheren findst Du nit» – (S. 133, S. 264,
S. 277, S. 383). Respektlos, doch kaum blasphemisch bringt er öfters
Bibelparodien: «O Orli, Orli, warum hast Du mich verlassen!» (*Ein-*

horn, S. 392) Warum Anselm eine Nibelungenparodie und gleich darauf ein miserables Schnadahüpfl aufsagt und warum an der gleichen Stelle Orli ihre seltsamen Mären erzählt *(Einhorn*, S. 409 ff.), bleibt Walsers Geheimnis. Diese Seiten gehören zu den Durststrecken in seinem Werk, die für Übersetzungen gestrichen wurden, dem deutschen oder deutschsprachigen Leser aber nicht erspart geblieben sind.

Im *Einhorn* schreibt Walser einmal: «Ein Name, das ist mir die Person.» (S. 22) Auf die Wahl seiner Namen verwendet der Romancier die größte Sorgfalt. Den alles dominierenden, aggressiven und brutalen Komponisten, den alle fürchten, nennt er Nacke Dominick Bruut. Den unscheinbaren, freundlichen Hausarzt der Familie Kristlein nennt er Dr. Weinzierl, und er spricht einmal von dessen «kräuterhaft liebenswürdigem Namen». Ein Schriftsteller, der gemeinsame Charakteristiken mit Heinrich Böll hat, trägt den ausdrucksvollen, kennzeichnenden Namen Basil Schlupp. Unter dem Namen Karsch tritt ein riesenhafter Pfeifenraucher auf, in dem man leicht Uwe Johnson erkennen kann – Johnsons vorgeschobener Erzähler in *Das dritte Buch über Achim* heißt ebenfalls Karsch. Um die sich verändernde Frau Anselm Kristleins besser zu charakterisieren, tauft Walser sie zweimal um. Alissa (= die Edle) heißt sie als junges Mädchen und in den ersten Jahren der Ehe. Von ihr schreibt Anselm: «Alissa war ein Mädchen, konnte mit Hilfe eines langen Halses und einer ausgiebigen Frisur den Kopf herumwerfen, daß ein halbes Zimmer voll davon war.» *(Einhorn*, S. 31) Birga oder Brigitte (= die Hohe) heißt die enttäuschte Frau, die auf ihres Mannes Gleichgültigkeit mit dem Rückzug in sich selbst, mit würdevollem Schweigen reagiert. Über diesen neuen Menschen schreibt Anselm: «Birga wendet den Kopf und dabei bleibt der Hals gerade, die Haare drehen sich auf der Stelle ... Birga hebt einen Kinderball auf, wirft ihn nicht in die Spielzeugkiste, sondern geht hin und legt ihn hinein.» *(Einhorn*, S. 31) Die leidende Birga wird einmal «die Schmerzensreiche» genannt, eine Anspielung auf die Jungfrau Maria. Diese Anspielung greift Walser später wieder auf: «Daß die Brigida eine Art keltische Maria ist, erwärmte mir die starrneue Bezeichnung, machte sie schmiegsamer, kleidete die mir bekannte Alissa, ohne sie ganz und gar zu entstellen. Von einer Maria hat sie was. Maria könnte sie heißen. An Maria denkend, kann ich sie Birga nennen.» *(Einhorn*, S. 30)

Die Frau, zu der Anselm schließlich nach seinen zahlreichen Abenteuern und Enttäuschungen zurückkehrt, nennt er Anna (= die Gnade). Es ist die Frau, die ihm seine Verfehlungen und Irrfahrten vergibt und die ihn wieder in den Schoß der Familie aufnimmt. Für Walser scheinen jedoch drei Namen für dieselbe Figur noch nicht genug zu sein, um ihre wechselnde Position entsprechend auszudrücken. Im letzten Satz des *Einhorns* prägt er also noch schnell zwei neue Namen: «Birli, Deiner Fliehkraft folge ich ins Morgengrauen, Orga.» (S. 489) Birli und Orga – das sind zwei Verbindungen von Orli und Birga, den Namen der Geliebten und der Ehefrau. Anselm, der zwischen den beiden Frauen stand, versucht hier eine mystische Verschmelzung der beiden Gestalten vorzunehmen, um seine inneren Konflikte zu überwinden.

Es ist nur allzu natürlich, wenn sich ein Mensch, dessen Existenz auf das Wort gegründet ist, mit dem Wesen der Sprache auseinandersetzt. Martin Walser scheint dem Wort und der Sprache wie kaum ein anderer Schriftsteller zu mißtrauen. Seiner Meinung nach ist es dem Schriftsteller unmöglich, die Wirklichkeit mit Worten wiederzugeben, die verlorene Zeit durch die Sprache wiederzugewinnen. Was für Anselm Kristlein vergangen ist, kann durch das Wort nicht gerettet werden, es ist unwiderruflich verloren. Die Gegenwart ist für ihn alles, die Vergangenheit dagegen nichts als «zerebraler Spuk». Anselm denkt voller Trauer an die Brust einer Frau, die einmal in seiner rechten Hand gelegen hat: «Offenbar haben Körperteile nicht die geringste Fähigkeit, sich zu erinnern. Nur im dunklen Kopf lichtert es noch lange nach ... Da soll mir noch einmal einer tröstlerisch von den Wiederauferstehungen in der Erinnerung plaudern!» (*Einhorn*, S. 60) Anselm-Walser wendet sich hier gegen Proust und dessen Bemühungen, dem Vergessen vorzubeugen und die verlorene Zeit wiederzufinden. Einige Zeilen später wird Proust namentlich genannt: «Bitte, werde ich sagen, krümmen Sie Ihre Hand um leere Luft und denken Sie an alles, was Sie mit Ihrer Hand schon so umschlossen, und dann sagen Sie mir, haben Sie was davon? Ja, es fällt ihm dadurch wieder ein, sagt er, die Haltung der Hand erinnert ihn an alles. Ach-Du-lieber-Proust. Und was haben wir von dem nichts als zerebralen Spuk? Nichts als Plage. Wäre es nicht besser, ganz vergessen zu können, wenn man doch nicht hineinbeißen kann in das Vergangene?» *(Einhorn*, S. 60) (Der Ausruf «Ach-Du-lieber-Proust» ist eine der wenigen Stellen, an denen Walser seinen Helden über sich selbst hinauswachsen läßt, denn hier spricht nicht der bescheidene Dutzendmensch Anselm, sondern ein belesener Literat, nämlich der Schriftsteller Martin Walser.) Der gleiche Gedanke, der in den zitierten Stellen zum Ausdruck kommt, kehrt am Ende von Walsers Aufsatz «Leseerfahrungen mit Marcel Proust» wieder: «... und da findet dann Proust im Kunstwerk das Mittel, die verlorene Zeit für immer wiederzufinden; die Kunst vermöchte dann für ihn also die Ordnung der Zeit aufzuheben und uns den Gedanken an den Tod weniger schrecklich, ja sogar leicht zu machen. Das habe ich zwar interessiert gelesen, weil es ja vom Tod handelt, aber es ist mir weder ein- noch aufgegangen, wieso eine wiedergefundene Zeit und ihre Auferstehung im Kunstwerk die Zeit aufheben soll.» (*Erfahrungen*, S. 141)

Anselm will ein Buch über die sexuelle Liebe schreiben, doch scheitert er kläglich, denn er findet keine dem Thema angemessene Sprache. Er schreibt zwar ein Buch, doch wird es ein Buch über die Unmöglichkeit, ein Buch über die Liebe zu schreiben. Anselm sieht das Problem voraus: «Ich sagte, daß ich mich nicht sträuben wolle, ich glaubte aber, es gebe für solche Nächte, so wichtig sie für das Abendland sein mögen, keine zugelassene oder auch nur anwendbare Sprache, man wäre denn Arzt und weithin unverständlich.» (*Einhorn*, S. 83) Wegen seiner Schwierigkeiten mit der Sprache gibt Anselm schließlich den Auftrag für einen Sachroman über die Liebe an Frau Sugg zurück, womit die innere Rahmenhandlung des *Einhorns* zu Ende geht. Hier schreibt Anselm auf eigene Faust, im eigenen Auftrag weiter, diesmal allerdings mit ganz anderen Absichten. Durch Orli hat er die wahre Liebe kennengelernt, und mit dem Schreiben will er dieses Erlebnis vor dem Verfall, vor dem Vergessen bewahren. Anselm scheitert jedoch ein zweites Mal. Die Sprache, die seine erotischen Abenteuer nicht wiedergeben konnte, versagt erst recht vor der Wiedergabe eines echten, tiefen Gefühls. Mit dieser traurigen Erfahrung schließt der äußere Rahmen und damit das Buch. *Das Einhorn* ließe sich also als resignierendes Werk sehen, in dem der Autor vor der Unzulänglichkeit der Sprache die Waffen streckt. Pessimistische Äußerungen über das Wort und die Sprache finden sich überall verstreut im *Einhorn*. (S. 185: «Die einfachste Schwierigkeit: es war einmal und läßt sich nicht sagen. Wie es wirklich war, ist immer noch nicht gesagt.» – S. 130: «Keine Wörter mehr. Dieses akustische Ungeziefer. Den Mund spülen. Pfefferminz, bitte. Ingwer.» – S. 230: «Das will ich überhaupt annehmen: statt etwas, bleiben Wörter.» – S. 344: «Überhaupt Fragen. Nichts leichter als auf eine Frage zu antworten, sage ich dann. Fragen haben ja nichts zu tun mit etwas. Man kann Wörter zu Fragen zusammenstellen. Das hat, außer mit Grammatik, mit nichts zu tun.» – S. 475 f.: «Jeden schlimmen Paragraphen würde ich mir als Lorbeer um die Stirne winden, wenn mir an Orli der Nachweis gelänge, daß man Vergangenes wieder heranimieren kann durch feuchte, schlüpfrige oder wüstenhaft trockene, eremitische Wörter. Aber Leuteleute, ein materielles Mädchen hat man doch nicht schon dadurch, daß man von ihr spricht, singt, stöhnt.») Anselm geht soweit, der Sprache die Repräsentation für die Wirklichkeit völlig abzusprechen. Sprache ist für ihn etwas Autonomes, etwas von der Realität Verschiedenes, das tatsächlich nur für sich selbst existiert. Am Ende des *Einhorns* zieht Anselm dann die allerletzte Konsequenz aus diesen bösen Überlegungen, indem er sich selbst zur bloßen Romanfigur erklärt, die keine entsprechende Deckung in der Wirklichkeit hat: «Ich vermute, daß ich selber ein Schatten bin, der seinen Werfer verlor. Ich bin flach und dunkel, ich bin – weiter kann kein Geständnis mehr reichen – ich bin eine Figur. Sichtbar am besten schwarz auf weiß.» (S. 483)

Während nun der Schriftsteller Anselm den Versuch aufgibt, Zeit und Wirklichkeit durch das Wort zu bannen, während er sogar seine eigene Existenz in Frage stellt, ist sein Schöpfer, der Schriftsteller Martin Walser, längst nicht so defaitistisch. Bei allem Mißtrauen gegenüber der Sprache macht Walser doch fleißig von ihr Gebrauch. «Anti-Wörter brauchte ich», seufzt Anselm abgrundtief am Ende vom *Einhorn* (S. 476). Da es solche Anti-Wörter noch nicht gibt und voraussichtlich nie geben wird, übt sich der Romancier Walser mit ziemlicher Fertigkeit in den Möglichkeiten, die ihm die vorhandene Sprache bietet. Diese Möglichkeiten nutzt er voll aus und versucht zudem, sie noch um einige Dimensionen zu erweitern.

III

Die Gestalten

Martin Walsers Menschen sind austauschbare Dutzendmenschen, keine Originale wie die Gestalten von Grass und Johnson etwa. Noch der Zwerg Oskar sagt in der *Blechtrommel* von sich selbst, er sei ein Individualist, ein Held und keine Nummer in einer namenlosen Masse. Auch Johnsons Jakob und der alte Cresspahl in *Mutmassungen über Jakob* sind unverwechselbare, urwüchsige Gestalten, wie man sie heute nur noch im abgeschirmten Milieu eines Dorfes oder einer Kleinstadt antrifft. Walsers Menschen dagegen sind Stadtmenschen: Ärzte, Rechtsanwälte, Lehrer, Journalisten, vor allem aber Vertreter. Anselm Kristlein, Held und Erzähler von *Halbzeit* und *Einhorn*, ist Vertreter, die meisten seiner Freunde und Bekannten sind Vertreter. Die Tatsache, daß sich Anselm vom Vertreter über den Werbetexter zum Schriftsteller entwickelt, zeigt deutlich die stellvertretende Rolle, die er mit seinen Problemen für seinen geistigen Vater spielt. Walser hat ausdrücklich auf diese Rolle hingewiesen: «Es gibt also keinen Beruf, der einem Menschen das Gefühl seiner eigenen Überflüssigkeit so aufdringlich klarmachen könnte wie der des Vertreters. Das hat mir diesen Beruf sympathisch gemacht, er erinnerte mich eigentlich fast an den des Schriftstellers.» (Horst Bienek, «Dem Sog ergeben») Walsers Romane sind nicht so sehr als gesellschaftskritische Werke zu verstehen, in denen der Autor wie Heinrich Böll dem Rest der Menschheit mit erhobenem Zeigefinger gegenübertritt. Sie sind vielmehr Ausdruck der eigenen Problematik, der eigenen Zweifel, des eigenen Suchens. Die verschiedenen Gestalten sind als immer neue Versuche zu sehen, sich selbst und eine Form für das eigene Dasein zu finden. Jede Gestalt bedeutet eher eine neue Suche als eine neue Lösung. An einer Schlüsselstelle von *Halbzeit*, in der die Zweifel an der eigenen Existenz, das Gefühl des Überflüssigseins deutlich zum Ausdruck kommen, schreibt der vorgeschobene Erzähler: «Wer kümmerte sich von den zwei Milliarden um mich? Wer, außer ein paar Frauen, bestätigte mir, daß ich auch da war? Ich konnte mich der Welt nicht aufdrängen mit Transaktionen, Kanalbauten, pädagogischen Handbüchern, Sprinterlorbeeren oder Vorsitz von holzgetäfelten Sälen, ich war weder

Vollkaufmann noch General, mein Platz war im Kinopublikum, zweiter Rang, für wen war ich notwendig?» (S. 274) Wichtig ist diese Stelle nicht nur wegen der aufgeworfenen Problematik, sondern besonders wegen des Versuchs einer Antwort. Die Bestätigung des Mannes durch die Frau – ist das der Ausweg, den Walsers Gestalten suchen?

Martin Walsers Bücher sind traurig stimmende Bücher: sie erzählen von der «Großen Kapitulation» des modernen Menschen. Die Kluft zwischen Ideal und Wirklichkeit ist sicherlich ein literarisches Thema, das so alt ist wie die Literatur selbst, doch ist sie nichtsdestoweniger so schmerzhaft als Erfahrung für die Menschen unserer Tage wie für die Zeitgenossen Platons. Martin Walser hat es sich zur Aufgabe gestellt, diese bittere Entdeckung immer wieder zu analysieren und nachzuleiden. Die zynische Art, mit der dies so oft geschieht, sollte den Leser keinesfalls über die Tatsache täuschen, daß hier ein Verwundeter, ein Desillusionierter spricht. Verwundet und desillusioniert sind die Helden in Walsers Werken, die Beumann und Kristlein und wie sie alle heißen. Unermüdlich sind sie auf der Suche nach der Frau, doch keiner von ihnen ist ein Schürzenjäger, der um der Eroberung willen erobert. Sie alle ziehen in die Welt mit einem Traum im Herzen, nämlich mit der idealisierten Wunschvorstellung von einer Frau, die alle ihre geheimen Sehnsüchte erfüllen kann. Jeder von ihnen ist wie Hans Beumann in *Ehen in Philippsburg* bereit, wenn nicht einer Prinzessin, so doch einem «dunklen Traummädchen» zu begegnen. Statt dessen treffen Walsers Helden dann nur Menschen, liebende und opferbereite Frauen zwar, aber nur Menschen und keine Traumwesen. Die Frau, die bei der ersten Begegnung wie ein «Gestirn» erscheint, «strahlend und geheimnisvoll», büßt in dem Maße an Glanz ein, in dem sie sich erobern läßt. Am Ende ist sie dann eine Geliebte wie so viele andere, oder eine geplagte, eifersüchtige Hausfrau, die sich mit allen Mitteln die rasch schwindende Liebe ihres Mannes zu erhalten sucht.

Es ist wahr, daß sich Walser nicht allzu lange bei Glorienschein und Traum aufhält. Er zeigt unvermittelt und in schonungslosem Licht die Kehrseite der Medaille, so etwa wenn er in *Ehen* die Metzelei einer Abtreibung nach vier Monaten Schwangerschaft beschreibt. Der Mann spielt in solchen Situationen meist eine klägliche Rolle, die Rolle des Kindes, das sich um seine Erwartungen betrogen sieht und schmollt. Im Leid dagegen offenbart sich bei Walser immer wieder eine Seite der Frau, die so etwas wie Größe in sich hat. Während der Mann in Selbstmitleid versinkt, versucht die Frau auch in hoffnungslosen Umständen zu retten, was immer noch zu retten ist. Eine einzige Frau in Walsers Werk, nämlich Birga Benrath in «Ein Tod muß Folgen haben» *(Ehen)*, zieht beim Auseinanderbrechen ihrer Traumwelt den Freitod vor, ohne sich mit der harten Wirklichkeit auseinanderzusetzen. Die anderen Frauen bei Walser dagegen sind mit einem starken Selbsterhaltungstrieb ausgestattet. Erspart bleibt kaum einer von ihnen etwas, und im Vergleich mit den Männergestalten läßt ihnen Walser leicht das Zehnfache an Leid widerfahren. Während aber der Mann schon unter dem ersten Druck der Verhältnisse geschwächt wird, geht die Frau zwar verwundet und desillusioniert, aber gleichzeitig gestärkt für den nächsten Schlag aus jeder Anfechtung hervor. Walsers Männer erwecken denn auch lediglich unser Verständnis, weil wir in ihren Schwächen unsere eigenen verschärft wiedererkennen können. Die Frauen dagegen verdienen des Lesers ungeteilte Sympathie, manchmal sogar eine mit Mitleid gemischte Bewunderung. Wie Alissa Kristlein nehmen sie den endlosen Kampf um ihre gefährdete Ehe immer wieder auf, während ihre Männer weiter dem Wunschbild einer Frau nachspüren, die es nicht gibt.

Walser streut brutale Wahrheiten in seine Bücher ein, Reflexionen gewissermaßen zur Erläuterung der jeweils erzählten Geschichte. Der Frauenarzt Benrath meditiert: «Was ein Mann einer Frau zuliebe tut, hat keine Dauer. Er fällt ab. Er kann nur sich selbst zuliebe leben und handeln.» *(Ehen, S. 236 f.)* Die meisten dieser «Weisheiten» ließen sich leicht aus dem Zusammenhang lösen und in eine Maximensammlung einordnen, denn sie ragen in der Regel aus dem Rahmen der jeweiligen Fabel heraus und weisen auf etwas Allgemeingültiges. Und wenn wir dieses Allgemeingültige auch nicht als letzte universelle Wahrheit akzeptieren wollen, finden wir hier doch den Schlüssel zum Verständnis der Welt, in der Walsers Gestalten leben. Es ist eine Welt, die für den Mann eingerichtet ist: der Mann erwartet, glücklich gemacht zu werden – von der Frau und vom Leben beschenkt zu werden. In unzähligen Brechungen kommt dieser Anspruch zum Ausdruck, und es liegt in der Natur der Erwartung, daß sie immer wieder enttäuscht wird. Dr. Alwin, einer der unsympathischsten Egoisten in Walsers Werk, formuliert seine Enttäuschung in der sentimentalen, selbstbemitleidenden Art, wie sie typisch für

Walsers Helden ist: «Ich müßte weniger Erfahrung hinter mich gebracht haben ... um nicht zu wissen, daß jede neue Affäre ein Griff nach dem Unmöglichen ist und den Keim der Enttäuschung schon von Anfang an in sich trägt.» (*Ehen*, S. 250) Sehr originell ist diese Lebensweisheit sicher nicht – bei Sokrates angefangen hat sich der Mann im Laufe der Jahrhunderte immer wieder im gleichen Sinne geäußert. Neu ist lediglich der Ton des unverhüllten Egoismus und des Mitleids mit sich selbst, womit die alte Klage vorgebracht wird. Dr. Alwin beurteilt alle Menschen nach dem Grad des Nutzens, den er aus ihnen zu ziehen hofft. Die verschiedenen Geliebten spielen in seinen Plänen nur die Rolle, die er ihnen im Interesse seiner Karriere zudiktiert. Trotzdem glaubt er wohl selbst, daß er ein verhinderter Idealist ist, daß er nach dem Absoluten strebt und es leider in dieser unvollkommenen Welt nicht finden kann: «Die Frau, die wir lieben, ist immer ein Ersatz für eine, die wir noch nicht haben oder ... nie haben werden.» (*Ehen*, S. 250)

Wie ein roter Faden läßt sich dieses Mitleid mit der eigenen Person bei den Männern im Werke Walsers verfolgen. Hans Beumann, der Held von «Bekanntschaften», ist ein ganz anderer Typ als Dr. Alwin. Während Alwin die Frauen kalkulierend in seinen Lebenslauf einbezieht und sie im rechten Augenblick wieder laufen läßt, wird Hans Beumann wie ein Blatt im Wind ziel- und richtungslos von einer Frau zur anderen getrieben. Hans zögert jedoch ebensowenig wie Dr. Alwin, der Welt, besonders aber den Frauen, die Schuld und die Verantwortung für seinen Katzenjammer zuzuschieben: «Seine Trauer umschloß ihn jetzt wie ein gut sitzendes Gewand. Es tat wohl, so traurig zu sein, der ganzen Welt und besonders diesen beiden Mädchen Vorwürfe machen zu können und sich verkannt fühlen zu dürfen.» (*Ehen*, S. 51) Und von Anselm Kristlein heißt es: «Er duschte sich im Mitleid mit sich selbst, schmiegte sich in die brennenden Schauer. Wehe dir, Alissa, wenn du mich jetzt nicht bedauerst.» (*Halbzeit*, S. 460) Bezeichnend ist der Grund, weswegen Anselm das Mitleid seiner Frau beansprucht: er war mit Susanne ausgegangen, ohne gleich beim ersten Mal den erhofften Erfolg erzielt zu haben. Anselm glaubt also, ein reines Gewissen zu haben, und er hat obendrein das zwingende Bedürfnis, bedauert zu werden.

Die beiden Hauptgestalten im erzählerischen Werk Martin Walsers sind zweifelsohne Anselm Kristlein und Edmund Gabriel. Der eine ist der genaue Gegenpol vom andern, der eine ergänzt den andern wie sich etwa Adrian Leverkühn und Serenus Zeitbloom in Thomas Manns *Doktor Faustus* ergänzen. Um den Gegensatz vollkommen zu machen, stellt Walser dem Frauenliebling und Gefühlsmenschen Anselm in Edmund den Homosexuellen und vergeistigten Intellektuellen gegenüber, der sich nur zynisch über Liebe und jegliche seelische Regung äußert. Bei allen seinen Schwächen bleibt Anselm ein Irrender, der in einer vagen Erwartung seines kommenden Glückes lebt. In *Halbzeit* heißt es: «Fast so genau wie die Astronomen die Hochzeiten und Scheidungen ihrer monströsen Himmelsungetüme berechnen, fast so genau wußte ich, daß eines Morgens mein Glück mit Musik und nahezu schon vorstellbarem Getöse im Hauptbahnhof einlaufen würde.» (S. 147) Nur um dieses kommenden Glückes willen erträgt Anselm jegliche Unbill der Gegenwart. Hat er selbst eine genaue Vorstellung von dem, was er so naiv als sein «Glück» bezeichnet? Sicherlich nicht, doch der Leser kann sich eine ungefähre Vorstellung davon machen. Anselm stellt einen guten Teil seines Strebens in den Dienst der Entwicklung einer starken Persönlichkeit. Alissa schreibt einmal über ihren Mann: «A. hat ein sonderbares Bedürfnis nach Religion ... Er hat die Vorstellung, Religion wecke und entwickle besondere Kräfte und er wünscht sich diese Kraftentfaltung, um seiner Persönlichkeit willen.» (*Halbzeit*, S. 367) Persönlichkeit aber bedeutet für Anselm eine glänzende Rolle in der Gesellschaft und vor allem Unwiderstehlichkeit bei den Frauen. Er ist manchmal wie ein Kind, voller Fragen, voller Hoffnung, voller Bereitschaft. Edmund dagegen weiß für alles eine Antwort, er ist immer bereit zu zerstören und zu desillusionieren. Die Farbe seiner Haut schwankt zwischen rosa und grün, was kein Zufall ist: «... diese Hautfarbe entsprang direkt seiner Seele und kam von da ohne Verlust und Änderung in die Haut.» (*Halbzeit*, S. 168) Zu Hause liegt er gewöhnlich in einem riesigen giftgrünen Sessel. Edmund ist grundsätzlich mit der Welt zerfallen – mit der gegenwärtigen wie auch mit einer etwaigen zukünftigen, überirdischen. Gerade durch seine konsequent negative Einstellung übt er einen großen Einfluß auf Anselm aus. Edmund bekennt: «Gott gibt es nicht, das ist jetzt klar, und ich bin nicht der Mann, mir einen zu basteln. Leider habe ich auch sonst nichts anzubieten.» (*Halbzeit*, S. 190) Das ist der Kern der Anziehungskraft, die Edmund auf Anselm (und auf Walser) ausübt: hier verwirft ein Mensch in einem Atemzug Himmel und

Erde, die gesamte «Schöpfung», und lebt trotzdem weiter. Allerdings ist Edmund auch voller Widerwillen gegen sich selbst, voller «Erkenntnisekel», und er fühlt sich noch benachteiligter und unglücklicher als Kafkas Gregor Samsa: «Ein Käfer kann wenigstens noch seine Beine zählen, wenn er auf dem Rücken liegt ... glücklicher Gregor, sagte Edmund, glücklicher Gregor, ich aber habe nur den Gedankenfraß, dem ich ausgeliefert bin, der ohne Hast durch mich hindurchzieht, er weiß ja, ich bleib' ihm liegen wie kein anderer Kadaver.» (*Halbzeit*, S. 185 f.) Anselm bewundert seinen Freund, wenn dieser seine nihilistischen Reden hält, doch bleibt es bei der Bewunderung. Er selbst hängt an dem «trivialen Dreitakt» des Lebens, obwohl er das niemals in einem direkten Geständnis wie Tonio Kröger zugibt. Bei ihm muß man Lob und Bejahung der Welt hinter ironisch verfremdetem Redefluß suchen, wenn man sie überhaupt finden will:

«Um Edmund zu beruhigen, erwähnte ich die Vormittage in der Uferstraße, auf der Gerlingbrücke, in der Königsallee, Plaudereien vor der Tür der Metzgerei, Kartenspiele der Rentner im Park, Himbeeren mit Sahne, der Sprung vom Dreimeter-Brett und die Farbe des Sandes unter dem Waser, die zierlichen Kämme des Sandes, die Wellen parodierend, Waldränder mit leuchtenden Hagebutten, immer wieder ein neuer Zweihundertzwanziger, die italienischen Damenschuhe des vergangenen Sommers, die Vervollkommnung der Anästhesie, Familienbilder von 1912, die neuen Haarfarben, das fahle, fast rauchfarbene Mondsilber zum Beispiel, ich kenne da eine, Arzt ist ihr Mann, ach Edmund, eben das ganze gemütlich verlotterte Menschenleben, das so gar keine Neigung hat, sich kerzengerade aufzurichten, um auf den nächsten Blitz Gottes oder des Nichts zu warten.» (*Halbzeit*, S. 192)

Wenn Edmund der eine Pol im Denken und Handeln Anselms ist, so ist seine Frau Alissa der andere. Gewöhnlich spricht Anselm nur im Ton leichten Überdrusses von ihr. Alissa wird uns das erste Mal vorgestellt: «Alissa kam aus der Küche, eine wüste Masse Blond rund ums Gesicht, noch im Nachthemd.» (*Halbzeit*, S. 12) Dieser Satz ist typisch für das Bild, das uns Anselm von seiner Frau geben will. Er liebt es, sie in unvorteilhaften Situationen zu zeigen, um sie selbst dadurch unvorteilhaft erscheinen zu lassen. Anselms Angaben zufolge haben wir denn auch bald den Eindruck einer etwas verschlampten Frau, die zwischen Küche und Schlafzimmer ein triebhaftes Leben führt. Anselm hat guten Grund, seine Frau so zu zeichnen, denn er braucht dieses Bild von Alissa, um seine eigenen Eskapaden vor sich selbst zu rechtfertigen. Wahrscheinlich sieht er Alissa tatsächlich so, vor allem wenn er allein mit ihr ist. Geht Anselm dagegen mit Alissa aus, läßt er vor dem Leser gleich eine andere Gestalt erstehen, denn jetzt ist sie ja seine Frau, mit der er von den anderen Anerkennung einheimsen will. Wir lesen nun auch wirklich von einer Alissa, nach der sich die Männer auf der Straße umdrehen. Durch diese voneinander so verschiedenen Ansichten lernen wir nicht so sehr Alissa selbst als vor allem den Erzähler kennen. Die wahre Alissa, die wir hinter Anselms Worten nur vermuten können, treffen wir dann schließlich in ihren Tagebucheintragungen.

Aus diesen Aufzeichnungen spricht eine ganz andere Gestalt zu uns, eine feingeistige, romantisch veranlagte junge Frau, die unter der Nachlässigkeit ihres Mannes leidet. Liebe, Treue und Glauben, alle die Ideale, die durch Anselms zweideutige Erzählweise negiert werden, feiern in Alissas Tagebuch ihre Wiederauferstehung. Wohlgemerkt: sie selbst gibt sich keinerlei Illusionen hin, wenn sie über Anselms Lebenswandel schreibt, und auf ihren Seiten herrscht der Ton wehmütiger Resignation vor. In ihrer Person ist sie jedoch die liebende, treue, aufopferungsbereite Ehefrau geblieben, und sie hofft gegen ihr besseres Wissen auf eine Rückkehr ihres Mannes in den Schoß der Familie. Interessant ist ihre grundsätzliche Abneigung Edmund gegenüber, die etwas von dem Mißtrauen Gretchens gegen Mephistopheles an sich hat. In Edmund, den Anselm vor allem wegen seiner Intelligenz und seines Formulierungstalentes schätzt, spürt Alissa eine Art Nebenbuhler, den bösen Geist und das schlechtere Selbst ihres Mannes. Die Abneigung ist gegenseitig: Edmund haßt in ihr das Weib, und er spricht öfters vom Geruch ihrer Geschlechtsorgane. Alissa dagegen sieht in Edmund ganz richtig den sterilen Verstandesmenschen, den konsequenten Zyniker, den Geist, der stets verneint. Es ist keinesfalls Zufall, daß Edmund Homosexueller ist, denn als solcher spielt er eine natürliche Gegenrolle zu Alissa. Diese ist die fruchtbare Frau, das verstehende, alles entschuldigende Weib, das seinen Mann «hinanzieht», während er von Edmund zu intellektuellen Spekulationen und nihilistischen Geistesabenteuern verführt wird. Wohl wird Alissas Leidensfähigkeit immer wieder auf harte Proben gestellt, doch ist sie zu sehr verwurzelt in Glauben und Sitte, als daß sie je ganz den Boden unter den Füßen verlöre. In ihrem

Tagebuch schreibt sie einmal bezeichnenderweise: «Er ist wieder unterwegs. Ein Zweig winkt einem Vogel nach.» *(Halbzeit*, S. 358) Diese Bemerkung charakterisiert in ihrer lakonischen Kürze Alissas Beziehung zu Anselm auf das treffendste: auf der einen Seite der Mann, immer unterwegs, frei wie ein Vogel, aber auch ohne festen Halt im Leben – auf der anderen die Frau, geschüttelt von den Winden, doch immer bereit, dem Vogel Rast und Ruhe zu gewähren. Denn von Zeit zu Zeit benötigt Anselm die Sicherheit, die nur eine Ehe mit einem geordneten Haushalt zu geben vermag. In Alissas Eintragung vom 10. 2. heißt es: «Er ist da und braucht mich.» *(Halbzeit*, S. 370) Alissa fühlt sich als Teil eines größeren Ganzen, von dem sie ihre Kraft bezieht. Sie glaubt noch an absolute Werte, und sie richtet ihr Leben auf diese Werte ein. Die Ehe, die Liebe zwischen Ehegatten bleibt für sie ein Naturgesetz *(Halbzeit*, S. 361), dem sie fast jedes Opfer zu bringen bereit ist. Daneben gibt sie sich wie die meisten Gestalten Walsers Wunschträumen hin, um besser mit der lieblosen Gegenwart fertig zu werden. Durch das Tagebuch gibt der Autor seinem Geschöpf die Möglichkeit, sich persönlich, ohne Zwischenfigur, dem Leser vorzustellen. Dieser erkennt, daß Alissa eine Frau ist, die so viele gute Gaben besitzt, wie ein Mann nur von ihr verlangen kann. Er erkennt weiter, daß von allen Frauen, die Anselm kennt, Alissa die einzige ist, die auf die Dauer mit ihm zu leben vermag. Anselm kann trotzdem mit ihr keine glückliche Ehe führen, weil es für viele Männer einfach keine Frau gibt, die sie auf lange Sicht zufriedenstellen vermöchte. In anderen Worten ausgedrückt: für manche Männer gibt es keine Form der Ehe, die ihnen eine dauernde Zufriedenheit geben könnte, sie sind nicht für die Ehe geschaffen.

Noch einige andere seiner Gestalten läßt Walser ohne die ironische Distanz zu Wort kommen, die sein Werk kennzeichnet – Berthold Klaff sowie Vater und Onkel von Anselm Kristlein sprechen ebenfalls zu uns durch Tagebucheintragungen und Briefe. Bei diesen Gestalten handelt es sich um etwas verschrobene, weltfremde Idealisten, die der Wirklichkeit hilflos und wehrlos gegenüberstehen. Zwei von ihnen, Klaff und Anselms Vater, begehen Selbstmord, Onkel Paul wird in einer Irrenanstalt von NS-Ärzten getötet. Der verhinderte Schriftsteller Berthold Klaff ist der einzige Mann bei Walser, der seine Situation ohne sentimentale Selbstverklärung analysieren kann. Auch er weiß um die Entfernung zwischen seiner Vorstellung einer idealisierten Welt und der tatsächlichen, nüchternen Wirklichkeit, die mit Namen wie Molotow, Eisenhower, Tito und John Foster Dulles sogar aus fremdsprachigen Radiosendungen auf ihn einhämmert. Klaff ist sich bewußt, daß er ein Versager gegenüber dieser bedrohlichen Wirklichkeit ist. An Versuchen, sich anzupassen und den Tanz um das Goldene Kalb mitzumachen, fehlt es bei ihm nicht, und seine Ehe ist letztlich als solch ein Versuch zu verstehen: «Ich hatte gehofft, die Ehe werde in mir Lust am Vorwärtskommen erwecken, Freude an der Verantwortung, überhaupt Lebensfreude.» (*Ehen*, S. 360) Klaffs Reflexionen über sich selbst sind ehrlich, schonungslos bis zur Selbstzerstörung. Er hat keinerlei Illusionen darüber, daß er nicht für diese Welt taugt. Manchmal stellt er sich vor, ein Mann zu sein, der seine Frau liebt und Kinder wünscht und «vorwärts» kommen will, und dieser Traum ist voller Verlockungen für ihn. Er weiß aber gleichzeitig, daß er sein Selbst aufgeben müßte, daß sein Traum der Wunsch ist, ein anderer Mensch zu sein, und daß es in dieser Richtung keinen Ausweg für ihn gibt. Also irrt er weiter allein wie etwa Kafkas Landarzt durch die fremde, kalte Welt, und das Bekenntnis aus seinem Tagebuch könnte ebensogut aus Franz Kafkas Tagebuch stammen: «Lieben, an einem zweiten Menschen das gleiche Interesse nehmen wie an sich selbst, das kann ich nicht.» (*Ehen*, S. 361) Die anderen Männer bei Walser geben der jeweiligen Partnerin die Schuld dafür, daß sie nicht vierundzwanzig Stunden am Tag im siebenten Himmel schweben können. Klaff dagegen ist ein hoffnungslos isolierter Mensch, der die Schuld an seiner Einsamkeit weder seiner Frau noch seinen Eltern noch sonst jemand zuschiebt. In seinem Tagebuch heißt es: «Ich wage ihr [seiner Frau] nicht zu sagen, daß ich von mir enttäuscht bin, mehr als von ihr.» (*Ehen*, S. 361) Die Ehe mit Hildegard bezeichnet Klaff als «mein schlimmstes Versagen», das lediglich durch Hildegards Weggehen zu korrigieren ist. Die Wahrheit über sich selbst und die Welt, wie sie Berthold Klaff sieht, trägt den Keim der schließlichen Autodestruktion von Anfang an in sich, und sein Selbstmord ist nichts anderes als die logische Schlußfolgerung seiner rücksichtslosen Wahrheitssuche.

Von Anselms Vater heißt es, er sei ein besonders unfähiger Vertreter gewesen, eine Art Wandervogel mit dem Musterkoffer. Mit Jubel im Herzen und schönen Ideen im Kopf konnte man noch in der

Welt Hermann Hesses ein romantisch wirklichkeitsfernes Leben führen, doch in der Welt Walsers ist dies nicht mehr möglich. Der Mensch in seinen Beziehungen zur Gesellschaft ist hier nicht so sehr Individualist als Funktion, Berufsausübender, und bei Anselms Vater heißt das Handelsvertreter. Ein Vertreter wird aber weniger nach seinen künstlerischen Fähigkeiten als nach seinen Verkaufserfolgen beurteilt, und die Unbarmherzigkeit dieser banalen Wahrheit der kapitalistischen Welt wird an Anselm Kristlein sen. demonstriert. Schon Hans Beumann in *Ehen* wehrt sich instinktiv dagegen, die Fähigkeit des Geldverdienens zum letzten Maßstab für den Wert eines Menschen zu erheben. Beumann fügt sich schließlich in die bestehende Ordnung, auch wenn er sich ab und zu noch einmal auflehnt und sich dabei lächerlich macht. Für Anselms Vater jedoch, der künstlerisch und feingeistig veranlagt ist, gibt es keine Anpassung. Er versteht es nicht, seinen Talenten einen Handelswert abzugewinnen, und der Freitod bleibt ihm als die einzige Alternative zu einem Leben voller Demütigungen und Mißerfolge.

Geistig verwandt mit Anselm Kristlein sen. ist Paul Kristlein, sein Bruder. Walser reiht eine Anzahl Exzerpte aus Onkel Pauls Briefen aneinander, die den Anschein von echten Manuskripten haben – es scheint uns durchaus möglich, daß es sich um wirkliche Briefe eines wirklichen Amerikafahrers handelt, die Walser aus Respekt vor dem Unglück dieses Menschen ohne die übliche Dosis Ironie reproduziert. Es sind traurige Dokumente, diese Briefteile, die von der Hoffnung, der Desillusion und dem schließlichen Untergang eines aufrechten Menschen berichten. Von der Stimmung und dem Thema her, das ebenfalls von der «Großen Kapitulation» eines auf die Suche nach dem Glück ausgezogenen Idealisten berichtet, läßt sich die Geschichte Onkel Pauls notdürftig mit den anderen Geschichten in Beziehung setzen. Die Tatsache, daß Paul Kristleins Leben direkt durch seine Briefe, also gewissermaßen ohne Kommentar vor dem Leser ausgebreitet wird, erhöht die Tragik dieses Mannes, der in einer amerikanischen Irrenanstalt nur von dem einen Wunsch besessen ist – nämlich in die deutsche Heimat zurückzukehren. Vieles bleibt an Onkel Pauls Schicksal unklar, der Autor selbst scheint nicht mehr zu wissen als aus den Briefen und einigen zusätzlichen Daten zu ersehen ist. Warum Onkel Paul wahnsinnig wurde, inwieweit er tatsächlich verrückt war, bleibt am Ende Vermutungen überlassen. Außer Zweifel steht lediglich, daß ihm gerade die Liebe zum Land seiner Geburt zum Verhängnis wird, denn einige Jahre nach seiner Heimkehr wird er von experimentierenden Ärzten als Versuchsobjekt mißbraucht und verliert dabei sein Leben. Onkel Paul wird so zum Opfer des «Dritten Reiches», doch war er schon vorher dem kapitalistischen Wirtschaftssystem des Westens zum Opfer gefallen.

Martin Walser zieht Fäden zwischen dem Schicksal von Onkel Paul und der Verhaftung von Dr. Fuchs, dem ehemaligen höheren SD-Offizier, und die Episode von Dr. Fuchs wiederum wird in Verbindung gebracht mit dem Lebenslauf der jungen Jüdin Susanne. Dr. Fuchs und Susanne werden manchmal in der gleichen schnoddrigen Umgangssprache beschrieben, als handle es sich bei ihren Erlebnissen um einen großen Ulk. Nirgends findet sich in Walsers erzählerischem Werk eine präzise, greifbare Verurteilung des NS-Staates oder des Kapitalismus. Umso bedrückender wirken dafür die traurigen Geschichten von Onkel Paul und von Susanne, die scheinbar ohne das geringste Mitleid, ohne vordergründig erkennbare Anteilnahme vor dem Leser abgespult werden. Susanne wird auch keinesfalls als die edle Jüdin dargestellt, die schon ein Typ in der deutschen Nachkriegsliteratur geworden ist. Sie erscheint als eine etwas naive Sexbombe, die um ihre Wirkung auf die Männer weiß und die auch keinesfalls mit ihren Talenten und Gaben geizt. Verglichen mit dem kultivierten Dr. Fuchs ist sie ein absoluter Versager in der sogenannten feinen Gesellschaft, der Walser so viel Aufmerksamkeit schenkt. Doch gerade in ihrer Naivität, gerade in ihrer Hilf- und Wehrlosigkeit ist sie eine Verwandte des «armen Onkel Paul», gerade dadurch erweckt sie auch die Sympathie des Lesers. Die gelegentlichen Proben, die Susanne von ihren Kenntnissen gibt, mögen bei einer etwas oberflächlichen Lektüre erheiternd wirken. Man muß schon aufmerksam zwischen den Zeilen lesen, wenn man in ihrem kindlich unbefangenen Geplapper und in Anselms lakonischen Kommentaren die ganze ausweglose Situation dieses mißbrauchten Menschen finden will. Nirgendwo klagt Walser an mit dem effekthaschenden Pathos eines Staatsanwaltes, nirgendwo benutzt er den erhobenen Zeigefinger des Moralisten. Seine Anklage ist fast bis zur Unkenntlichkeit stilisiert und verfremdet, und hinter manch einer farcenhaften Episode verbirgt sich tragisches Geschehen, das in prägnanten Satzfetzen lediglich angedeutet wird. Auf unterhaltsame Weise werden zum Beispiel Susannes Liebesabenteuer und ihre Bemühungen um Arbeit rekapituliert, wobei der Autor ihrem Mangel an Bildung immer wieder eine komische Seite abgewinnt. Anstatt von Komik sollte man hier allerdings schon von Tragikomik sprechen, denn der Leser weiß die ganze Zeit, daß Susanne und ihre Mutter jahrelang um die Erhaltung ihrer nackten Existenz kämpften, daß Susanne auf der Flucht um ihr Leben war, während ihre Altersgenossinnen sich in der Schule mit den Staufern und der Renaissance beschäftigten. Von der Bundesrepublik als Nachfolger des NS-Staates erhofft Susanne nun eine Ausbildungsverlustentschädigung von 1500 Dollar, womit sie sich Bücher kaufen will: «Glaubst Du, ich lasse mich immer aus- lachen von euch. Josef-Heinrich in Italien, er hat mich behandelt, als hätt' ich nicht alle Tassen, Bernini, Uffizien, Staufer, Kesselring, Barbarossa, Renaissance, das gehört dazu, das mußt Du wissen, Forum, Badoglio, Michelangelo, ich bin doch nicht doof ... Im Reise- büro lachen sie, wenn ich frage, warum alle Leute plötzlich nach Bayreuth fahren.» (*Halbzeit*, S. 706) Ohne Schulbildung bekommt Susanne keine Stellung, ohne Schulbildung wird sie in der Gesell- schaft belächelt, ohne Schulbildung ist sie überall benachteiligt. Ohne gesicherte Stellung wiederum ist sie den männlichen Wölfen ausge- liefert, die ihr auf jedem Gebiet überlegen sind. Nichts von alledem wird bei Walser beim Namen genannt, der vom Leser die Deutung des Erzählten erwartet. Die Tatsache, daß einer dieser Wölfe Susan- nes Erlebnisse erzählt, trägt noch zur Tragikomik des Geschehens bei, denn Anselm Kristlein als braver Egoist ist immer zuerst be- müht, seinen eigenen Anteil am Geschehen ins vorteilhafte Licht zu rücken. Der Betrug, der an Susanne begangen wurde und begangen wird, kommt nur in chiffrenhaften Andeutungen zum Ausdruck, zum Beispiel durch das Wort «Ausbildungsverlust«: mit dieser For- mulierung und den dazugehörigen 1500 Dollar kauft sich die Gesell- schaft los von jemand, der von ihr um Kindheit und Jugend geprellt wurde, denn Susanne hat nie eine wahre Chance im Leben gehabt.

Hat von Walsers Gestalten auch nur eine das Leben wirklich «ge- meistert»? Ein gewisser Hang zur Tragik ist ihnen allen eigen. Ohne Unterlaß versuchen sie zwar – jede auf ihre Weise – eine windge- schützte Ecke zu finden, eine kleine Welt, in der sie aufatmen können. Im *Einhorn* gibt es eine Definition des Helden dieser Welt: «Was durch eine Oberhaut zusammengehalten wird, ist ein Held. Einge- sperrt in seine Haut, sieht er dem Tod entgegen. Das hält er aus.» (S. 93) Was ist das Einhorn letztlich, von dem so oft in diesem Buch die Rede ist? Es ist die Erwartung, die Hoffnung, das Eingesperrtsein zu durchbrechen und vielleicht doch noch den Gefährten zu finden, der Wärme und Sicherheit spenden könnte. Von dieser Erwartung heißt es aber dann: «Wenn ich sie sättigen will mit irdischem Angebot, nimmt sie davon nicht Notiz.» (*Einhorn*, S. 42) Da unsere Erde nun lediglich irdische Angebote zu machen hat, geht die Jagd nach dem idealen Lebenspartner weiter, bis die nächste Ernüchterung eintritt. Walsers Männer suchen ihr Glück im Nehmen, niemals im Geben, und eine Frau, die alles gegeben hat, verliert leicht jegliche Anziehungskraft. Hier liegt das Unglück von Walsers Gestalten, der Grund für ihre fortschreitende Isolierung: anstatt Respekt vor dem anderen zu zeigen, anstatt in ihm den Mitmenschen zu sehen, der vielleicht auch an der Welt leidet, betreibt der Held fleißig die Entidealisierung der vorher so heiß begehrten Frau, bis er sie wie ein lästiges Insekt abschütteln kann. Von «Ehrfurcht vor dem Menschen» kann man bei Walser nicht viel entdecken, wohl aber eine Menge Widerwillen und Haß. Anselm Kristlein meditiert über eine eroberte Frau: «Schau, um ein übriges zu tun, noch die fettgelben Strähnen an, den grauweißen langen Hals, der schon zwei deftige Querschnüre hat, das kleine Chow-Chow-Gesicht, die eben doch zu kurzen Zähne, das zu weit reichende Zahnfleisch, Mäusezähne, die dürren Klöppelfinger, rachitischen Handgelenke, und die Brust ist doch auch bloß fest aus lauter Wenigkeit, also Anselm-Anselm, was hast Du Dir da bloß wieder zusammenstilisiert, Mensch, wie wenig braucht's eigentlich, daß Du noch himmelhoch was draus machst.» (*Einhorn*, S. 162)

Nicht selten fällt Walser oder eines seiner Sprachrohre harte, zynische, schockierende Urteile über die Schwächen eines Mitmenschen. In der Beschreibung der «ekelhaften Dulderin» Helga, die an Widerwärtigkeit so leicht nicht ihresgleichen findet, heißt es: «... man geniert sich für Gott, daß er sowas zuläßt ...» (*Halbzeit*, S. 16 f.) Mit «sowas» ist niemand anders als Helga selbst gemeint – als ob der Autor von einem abstoßenden Tier spräche. Auf der zweiten Seite von *Halbzeit* ist die Rede von einem «toten Onanisten», und über Barbara Salzer schreibt Anselm Kristlein in kalter, mitleidsloser Sprache: «Die zielt doch mit jedem Schnaufer, hechelt vor Ehrgeiz, Bankiersgattin! dafür dorrt die lebenslänglich, Karrieritis-Syndrom, ein Rechenmaschinchen ist das, und spinnt doch längst.» (*Einhorn*, S. 162) Schon Hans Beumann (*Ehen*) leidet an schweißigen Händen, und das Motiv der feuchten Hände läßt sich auch in den anderen

Romanen Walsers nachweisen. In *Halbzeit* führt die feuchte Hand von Anselms Tochter Lissa den Erzähler zu unappetitlichen Assoziationen über die geräusch- und geruchvollen Blähungen des Onkel Gallus und über verwandte Themenkreise (S. 63 f.). Fabrikarbeiterinnen, die sich in der Sonne erholen, werden von Walser in wahrhaft brutaler, widerlicher Sprache beschrieben («die jüngeren Leichname dieser Ausstellung», «die späten Camembert-Plastiken», «Fischsterben», «Walfriedhof» — *Einhorn*, S. 234 f.). Noch Walsers nüchterne Zeitgenossen, Böll, Grass und Johnson etwa, lassen von Zeit zu Zeit in ihrem Werk eine leicht idealisierende, romantisierende Stimmung aufkommen, besonders wenn die Beziehung zwischen jungen Menschen, zwischen Liebenden beschrieben wird. Bei Walser fehlt diese Tendenz völlig, alles wird aus überhöhter, intellektualisierter Distanz betrachtet. Wie beschreibt er zum Beispiel einen Kuß? «Wenn ich eine Atempause machte, fiel sie mir um den Hals, beschmutzte meine Krawatte mit ihrem Rouge, das auf meiner Krawatte viel besser hielt als auf ihren Lippen, an Folgen dachte sie nicht, sie leckte mich ab wie ein Kalb das Euter ableckt, von dem es gleich trinken will ...» *(Halbzeit*, S. 67 f.) Und das Lachen, bei anderen Schriftstellern ein befreiender Triumph des Menschen über die Widerstände des Lebens, erscheint bei Walser so: «... die alte fette Schludertante Carlos Haupt lacht schon längst, oder furzt da ein verreckendes Pferd, Edmund kichert ...» *(Einhorn*, S. 310) Anselm Kristlein betrachtet voller Widerwillen seine schlafende Frau und fühlt sich abgestoßen von dem «sulzigen Leichengesicht». *(Halbzeit*, S. 717)

Die manchmal ironische, manchmal zynische Distanz wahrt Walser auch in der Beschreibung von Kindern. Der Leser gewinnt kaum den Eindruck, daß der Autor kinderlieb sei. Anselm Kristlein spricht von seinen Kindern fast nur im Tone höchsten Überdrusses. Über die Tochter Lissa sagt er angewidert: «Jetzt ondulierte sie mit den Händen durch die Luft, die Nägel leuchteten lackiert, der Mund war wüst überschminkt, sie wiegte sich in den Hüften und sah aus, überladen mit Shawls, Petticoat und Ohrringen, wie eine vierundfünfzigjährige Zwerghure; wenn es sowas gibt.» *(Halbzeit*, S. 14) Reichlich sarkastisch macht sich Anselm über moderne Ansichten in der Kindererziehung lustig: «Es gab ja, wie man jetzt immer wieder hörte, nichts so Verletzliches wie ein Kind, die Narbe, die eine Ohrfeige in der Kinderseele zurückläßt, macht sie später zur Prostituierten oder zur Mörderin ...» *(Halbzeit*, S. 34)

Vor dem Alter hat Walser schon gar keinen Respekt. Unerbittlich, ohne die geringste Nachsicht beschreibt er die Auswirkungen der Zeit an älteren Menschen. Auf einer Neujahrspartie nennt Anselm die Frauen, auf die sich die Jagd nicht mehr lohnt, «alles alte Zikken». Von Würde oder gar Schönheit des Alters kann bei Walser nirgends die Rede sein. Er erwähnt in ziemlich kruder Sprache das «große Fladengesicht» von Fräulein Bruhns, einer älteren Sekretärin, er bezeichnet sie mehrmals als einen «Kadaver» und ein «elendes Fragezeichen», und er beschreibt sie dann folgendermaßen: «Kein Mensch konnte sagen, wie Fräulein Bruhns ausgesehen hatte ... Jetzt lagen ihre farblosen Augenkugeln auf erlahmten, allmählich sich nach außen stülpenden Lidern, es war zu fürchten, daß die Lider die Last der Augen nicht mehr lange tragen würden. Zum Glück waren die Oberlider nachgerutscht, sonst hingen sie jetzt wie Vorhangmäntelchen in alten Wohnungen sinnlos ins Leere, nachts deckten die wahrscheinlich Fräulein Bruhns' Augen nur noch sehr unzureichend. Wenn ihre Finger auf den Buchstabenterrassen herumwateten, dachte man an betrunkene Engerlinge.» (*Halbzeit*, S. 139) Einen ähnlichen Ton schlägt Walser an, wenn er von Kranken berichtet. Von einem Bewußtlosen, der eben operiert wurde, heißt es: «Schwester Agathe, dürr, fad blond, mitten im Gesicht herrscht ein Bleizahn, wischte den Speichel ab, der mit verquollen blasigem Gelalle aus dem Mund der immer noch fetten Halbleiche troff.» (*Halbzeit*, S. 271) Nach diesen Zeilen nimmt auch die von Walser rhetorisch gestellte Frage nicht mehr wunder: «Wer liebt schon seine Mutter?» Unter den verschiedenen Antworten, die er gleich darauf gibt, sticht besonders die eine hervor: «Man kann ihr viel opfern. Aber deshalb haßt man sie eher als daß man sie liebt.» (*Halbzeit*, S. 225) Reiner Sarkasmus ist die folgende Stelle, wo sich Walser auf Kosten der älteren Generation im allgemeinen amüsiert: «Gott sei Dank hört man in den Städten mehr auf die Alten als auf dem Land. Ach, wenn ich daran denke, wie man in Ramsegg mit ihnen umgeht! Aufs Altenteil setzt man sie, läßt sie sabbern, lacht sie aus, wenn sie mit silberner Weisheit gegen die Brutmaschine, den Kunstdünger oder den Heutrockner wettern. So barbarisch und kulturlos geht es immer noch zu auf dem Land. Dabei geben die Städte, die Parlamente, die Regierungen heutzutage doch wirklich Beispiele genug, daß nirgendwo mehr Rat und Hilfe zu erwarten ist als bei denen, die ihre achtzig hinter sich haben und trotzdem noch so freundlich sind und so stark, unser Leben für uns und für alle Zeit einzurichten.» *(Halbzeit*, S. 425f.)

Voll sprühendem, scharfem Witz und ohne jede Spur von Barmherzigkeit sind auch die Seiten in *Halbzeit* (S. 186ff.), auf denen Walser den alten, kranken Flintrop sowie seine Besucher aus dem Altersheim beschreibt. Der Autor scheint es nun einmal zu lieben, seinen ätzenden Finger auf die wunden Stellen des homo sapiens zu legen. Und eine der wundesten Stellen bei Walser ist das Alter: in dem Maße, in dem ein Mensch an Jahren zunimmt, verliert er an Wert. Da Walsers Gestalten sich fast immer auf Partnersuche befinden, da sie fast immer eine oder mehrere ungesättigte Valenzen besitzen, ist diese Qualitätsbestimmung von größter Wichtigkeit. Klugheit, Reichtum, Kraft, Schönheit, Gewandtheit im Gespräch – alle diese Eigenschaften werden in Martin Walsers Welt honoriert, doch das letzte, das entscheidende Kriterium ist das Alter einer Person – und die höchste Wertigkeit besitzt die kurvenreiche, vollblütige Zwanzigjährige.

Berthold Klaff, Anselm Kristlein sen. und Paul Kristlein sind, von den Homosexuellen abgesehen, drei Ausnahmen unter den Männergestalten Walsers – keiner von ihnen ist ein Höriger der Frau. Daß jeder von ihnen ein unnatürliches Ende findet, entwertet keineswegs ihre Suche nach einer lohnenden Lebensform. Anselm bezeichnet sogar öfters das Leben seines Vaters und seines Onkels als eine Verlockung und eine Versuchung für sich selbst. Dies bedeutet noch lange nicht, daß uns Walser die Existenzform der anderen Gestalten als lohnende Alternative vorführt. Neben der Frau ist es allenfalls die Karriere, das Vorwärtskommen, was für diese Menschen etwas bedeutet, doch selbst das Geldverdienen ist kaum mehr als ein Mittel zum Zweck. Und die vielen Homosexuellen, die Walsers Werk bevölkern, können neben ihre Verachtung des Lebens der «Normalen» ebenfalls keine gültige Lösung stellen. Edmund urteilt voller Bitterkeit über unsere Gesellschaft: «Eure Liebe benebelt euch ganz schön. Vorhänge quer durchs Bewußtsein, das ist unser Glück! Hinter dem Karren herrennen, an nichts als an die kleine Öffnung denken, das ist eure Seligkeit! Vom ungeheuren Horizont bleibt nur noch die kleine Öffnung. Schön, das ist euer Glück. Aber gebt doch wenigstens zu, daß es ein Ersatz ist für eure unsere Unfähigkeit, dauernd die Breite des Horizonts anzustarren. Aber da auch ihr nicht immerfort bloß an euern Weibsbildern herumfingern könnt, braucht ihr noch den Beruf, möglichst einen, der eine einfache Zählung des Erfolges erlaubt. Und weil wir doch nur an uns selbst interessiert sind, müssen wir unser Einkommen steigern. Mehr ist ja auch gar nicht drin in so einem Beruf, der ein Ersatz für die Liebe ist, die ein Ersatz für etwas ist, was es nicht gibt, aber geben sollte.» (*Halbzeit*, S. 315)

Hat Edmund mit seinen bitteren Urteilen über seine Freunde, über den modernen Menschen recht? Fast scheint es so. Auch Anselm Kristlein, den wir als repräsentativ für die meisten Männergestalten Walsers sehen können, hat keine übertrieben idealistischen Vorstellungen vom Leben, von der Welt. Männer interessieren ihn nur, soweit sie ihm nützen können, gesteht er einmal. Kinder, Verwandte und besonders alte Leute gehen ihm auf die Nerven. Religion bedeutet ihm nichts, auch besitzt er keinerlei Religionsersatz, sei es Kunst oder Philosophie oder sonst etwas. Gnade in seinen Augen findet nur das junge, frische Mädchen, dem «Elmsfeuer von der gewölbten Bluse» springen. Ihm jagt er nach, von ihm erhofft er etwas, was er selbst nicht definieren kann. Selbst Josef-Heinrich, Anselms Freund, der sich elfmal verlobt, ist kein eigentlicher Playboy: Jede einzelne seiner Verlobten will er heiraten, von jeder erwartet er eine Antwort auf seine Probleme, die dann ausbleibt. Gibt Walser Edmund dann auch recht, wenn dieser meint, die Frau, die Liebe sei nur ein Ersatz für etwas, was es nicht gebe? Dies wäre eine Interpretation, die man dem Walserschen Werke geben könnte, solange man nicht außer acht läßt, daß Walser vor allem ein Fragender ist, der mit wenigen oder gar keinen Antworten aufzuwarten hat. Wichtig für Walsers Gestalten ist vor allem die Suche, und wo diese aufhört, fängt die Verzweiflung an. Meditationen über den Selbstmord finden sich denn auch überall in Walsers Werk. In *Halbzeit* heißt es einmal: «Die Mühe, die es macht, weiterzuleben und die Mühe, sich umzubringen, sind etwa gleich groß.» (S. 398) Daß es nichts gibt, wofür es sich zu leben lohnt, wagt sich allerdings keiner der Menschen Walsers einzugestehen. In ihnen allen, die tatsächlichen Selbstmörder ausgenommen, glimmt irgendwo der Funke Hoffnung, daß es sich vielleicht doch noch lohne, daß die Erwartung eines Tages noch erfüllt werde.

Wer ist Anselm, und wer sind Edmund, Josef-Heinrich, Onkel Paul? Welcher von ihnen ist Martin Walser oder wenigstens das

Sprachrohr Martin Walsers? Oder sollen wir den Autor noch in einer anderen Gestalt suchen, in Klaff etwa oder in Hans Beumann? Die Antwort ist denkbar einfach: ein Autor steckt in allen seinen Figuren und Martin Walser ist sowohl Anselm als Edmund als Onkel Paul als auch Klaff und Beumann. Walsers Gestalten sind keine profilierten, abgerundeten Menschen, sie sind samt und sonders flache, eindimensionale Wesen. Als solche sind sie viel eher Teilansichten oder Möglichkeiten eines zentralen Charakters, den wir getrost Martin Walser nennen dürfen. Walser füllt mit den Abenteuern und Reflexionen einiger weniger Figuren seitenreiche und wortreiche Werke, «Wälzer» im wahren Sinn des Wortes, doch nirgends hat er den Versuch unternommen, vielseitig gedeutete, «runde» Charaktere zu schaffen, wenn der Ausdruck E. M. Forsters heute noch erlaubt ist. Selbst Anselm Kristlein, Walsers zentralste Figur, ist viel eher eine aufgeblasene Teilansicht als ein ausgewogener Mensch. Weder Anselm noch eine andere Gestalt durchläuft eine nennenswerte Entwicklung seines Charakters im Abrollen des Romangeschehens – auf der letzten Seite des jeweiligen Werkes haben wir denselben Menschen vor uns wie auf der ersten. Wohl spürt Walser den verworrenen Gefühlswindungen von Anselm nach, der eine durchaus komplizierte Gestalt ist, doch bei aller Kompliziertheit steuert dieser auf genau vorgezeichneten Bahnen in eine Richtung: in welcher Gesellschaft wir Anselm antreffen, ob er bei dem Homosexuellen Edmund oder allein im Auto, im Krankenhaus, im Segelboot ist, immer und überall sucht er das gleiche – die Frau. Und auch Edmund, neben Anselm die ausgeprägteste Gestalt bei Walser, ist letztlich nur ein Typ, nämlich der linksradikale, zynische Intellektuelle. Typen sind fast alle Menschen in Walsers Werk, Demonstrationsobjekte einer einzigen Lebenshaltung wie in einem Roman von Dickens oder Fielding. An dieser Feststellung, die keinesfalls ein Werturteil sein soll, ändert auch die Tatsache nichts, daß Walsers Gestalten die Probleme des zwanzigsten Jahrhunderts, nämlich unsere Probleme, zum Ausdruck bringen, daß sie also durch und durch «moderne» Gestalten sind. Jeder versucht auf ganz bestimmte, für ihn charakteristische Art, das Leben zu meistern, es ein wenig lebenswert zu machen. Wir haben hier wieder einmal Bruchstücke einer einzigen «großen Konfession», die allerdings nur selten mit ihrem Nennwert vorgetragen wird – nie können wir bei Walser ganz sicher sein, ob er sich tatsächlich mit einer geäußerten Ansicht identifiziert.

IV

Gespräche mit Martin Walser

Ein vielseitiger Mensch ist dieser Martin Walser: Schwimmer, Segler, Tennisspieler und Skiläufer. Bei einem Tor der deutschen Fußballelf führt er so etwas wie einen improvisierten Kriegstanz auf, beim Nachahmen eines SDS-Vorsitzenden entpuppt er sich als vorzüglicher Schauspieler. Zwischen Türglocke, Telefon, Besuchern, Hunden und den vier sehr hübschen Töchtern (Franziska, 18; Katharina, 13; Alissa, 10; Theresia, 3) spielt er den freundlichen, aufmerksamen und geduldigen Hausherrn und Familienvater, wo man doch seinen Romanen nach eher einen gereizten, gehässigen Haustyrannen erwartet hätte. Und dabei ein Kettenraucher und bis in die frühen Morgenstunden hinein ein unermüdlicher Gesprächspartner, dem jedes Thema gleich faszinierend zu sein scheint. Und dabei ein wendiger Theoretiker des Wirtschafts- und Finanzwesens, der im täglichen Leben – Hauskauf, Autokauf – eher mit der Naivität eines Hans im Glück auf die Erfordernisse des kapitalistischen Gesellschaftssystems reagiert. Walser weiß bestens Bescheid über die Parteien, die Studenten, die Hochschulreform, das Verlagswesen, doch wenn im Hause irgendwo ein Nagel eingeschlagen werden muß, ist das immer noch ein Problem. In Nußdorf, fünfzig Meter vom Ufer des Bodensees, wohnt Walser in einem Haus, das eher einen Industriellen als einen Poeten als Inhaber vermuten ließe. Hinter hohen Eichen und Kiefern schaukeln auf dem Wasser ein Kahn und eine Segeljolle, in einem übergroßen Studio (29 qm) mit Blick auf den See und die Schweizer Berge arbeitet der Verfasser von *Halbzeit* und *Einhorn*. Die frühen Werke sind in Dreizimmerwohnungen entstanden, in denen drei kleine Kinder und ein Hund dafür sorgten, daß der Autor immer in engem Kontakt mit der Welt blieb. Auch heute noch muß Martin Walser seine Arbeitszeit innerhalb der Familie verteidigen, seine Autorität überhaupt, die besonders von der ältesten und der jüngsten Tochter immer wieder angezweifelt und herausgefordert wird. Hier soll auch der dritte Kristlein-Roman geschrieben werden, der als Fortsetzung des bisherigen Werkes, aber auch als Neuanfang gedacht ist. (Die folgenden Notizen wurden nach Gesprächen gemacht, die Walser mit dem Verfasser im Juni 1970 in Walsers Haus führte.)

Warum schreibt Walser überhaupt? Verfolgt er bestimmte Zwecke mit seinen Büchern?

«Heute müßte ich diese Frage anders beantworten als vor fünf oder vor zehn Jahren, als ich an den Büchern arbeitete, die Sie gelesen haben. Damals wollte ich mir vor allem über mich selbst ins Klare kommen. Damals dachte ich nicht an etwaige Leser, sondern an mich selbst, an meine eigenen Schwierigkeiten. Heute muß ich beim Schreiben gründlicher an die gesellschaftlichen Bedingungen denken.»

Ist Martin Walser mit Anselm Kristlein, seiner Hauptfigur, nun endgültig fertig oder kann das lesende Publikum mit weiteren Kristlein-Romanen rechnen?

«Ich möchte mich noch einmal mit Anselm Kristlein in einem Roman auseinandersetzen. Dieser Roman wird sich wahrscheinlich von *Halbzeit* und *Einhorn* mehr unterscheiden als sich *Einhorn* zum Beispiel von *Halbzeit* unterschied. Der Roman ist bereits entworfen, er steht in meinen Notizbüchern. Es wird wohl noch zwei Jahre dauern, bis ich mit der Niederschrift anfange.»

Läßt sich Walser bei der Konzeption eines Buches beraten?

«Ich spreche mit niemand über meine Arbeit. Die fertigen Manuskripte werden dann mit dem Verleger und seinen Mitarbeitern diskutiert. Vor dem Erscheinen von *Halbzeit* habe ich das Buch ausführlich mit Unseld und Boehlich besprochen, die deswegen einige Tage zu mir kamen. Auf ihren Rat hin habe ich dann zweihundert Seiten des Manuskriptes gestrichen. Auch im *Einhorn* wurden etwa fünfundsiebzig Seiten am Ende des Buches gestrichen. Es handelte sich dabei um den Versuch, das Buch in einer fast erfundenen Sprache zu beenden.»

Schreibt Walser neben Prosa und Drama auch Lyrik?

«Ich schreibe eine Art Gedichte, aber nur für mich, nur in meinen Notizbüchern.»

Walser ist am Bodensee geboren und aufgewachsen, er lebt heute am Bodensee. Was bedeutet der See, die Landschaft des Bodensees für ihn?

«Ich bin nicht aus einem besonders subtilen Grund hierhergezogen. Wir mußten weg aus der Wohnung in Stuttgart, die zu klein geworden war. Wir zogen nach Friedrichshafen, weil uns dort von Verwandten eine billige Wohnung angeboten wurde. Wir wollten aber bald wieder wegziehen. Uwe Johnson wollte uns nach Berlin helfen, schickte uns eine Zeitlang Häuserfotos. Ich suchte dann sieben Jahre lang am Bodensee nach einem Haus möglichst am Wasser. Wir wollten nicht mehr zur Miete wohnen. Meine Frau und ich sind beide in Gasthäusern geboren, da lebt man nicht gerne zur Miete. Und wenn man als Schriftsteller nicht mit fünfzig stirbt, wird bei unserem Mietwucher das Mietezahlen ein bedrückendes Problem.»

Gab es in Walsers Familie schon einmal einen Mann der Feder oder des Wortes?

«Nein. Ich hatte zwei Brüder, der eine fiel im Krieg. Der andere führt die Gastwirtschaft meiner Eltern in Wasserburg. Mein Vater starb, als ich elf Jahre alt war. Er war ein unglücklicher Gastwirt, er hatte noch seltsamere Ideen als Anselms Vater. Mein Vater war Theosoph und besaß ziemlich viele Bücher, er selbst notierte sich manches, was man im Wareneingangsbuch nicht vermutet. Ursprünglich wollte er Lehrer werden, doch war er der einzige Sohn und mußte die elterliche Gastwirtschaft übernehmen.»

Gehört Walser einer religiösen Konfession an?

«Ich bin katholisch aufgewachsen, meine Mutter war eine wirkliche Gläubige. Sie lebte in Umständen, in denen der Glaube tatsächlich das einzige Hilfreiche war.»

Bedeutete das Jahr 1945 einen Schock für Martin Walser?

«Nein. Ich habe erst spät denken gelernt. Gegen den Nazismus war ich durch das katholische Elternhaus von selbst geschützt – nicht geschützt war ich gegen Ehrgeiz, gegen Wettbewerb. Also wollte ich Offizier werden, Reserveoffizier. Als Schüler mußte ich in der Gastwirtschaft und in der Kohlenhandlung meiner Eltern arbeiten. Eine Genugtuung war für mich dann der Arbeitsdienst, wo ich den Bürgersöhnen einiges voraus hatte, denn ich war die schwere Arbeit gewöhnt. In der ‹Hitlerjugend› hatte ich keinen Rang, war auch nicht sonderlich sportlich eingestellt. Ich war in der Marine-H.J. und wurde einmal Reichsmeister im Winken. 1944 meldete ich mich freiwillig zu den Gebirgsjägern, in der Hoffnung, Offizier zu werden. Ich hatte kein Glück: ich verpatzte eine theoretische Arbeit über

Friedrich den Großen, und mein Unteroffizier wollte mir keine ‹Führereigenschaften› bescheinigen. Damals war das ein harter Schlag – heute weiß ich, daß ich nicht sonderlich geeignet war für jene Gesellschaftsordnung. Man hat doch eine Tendenz, die man nicht immer den zeitweiligen Vorstellungen oder Anforderungen unterwerfen kann. 1945 desertierte ich mit vier Kameraden in die Berge und kam später in amerikanische Gefangenschaft, ins Kriegsgefangenenlager Garmisch. Wir hatten damals alle große Angst, an die Franzosen und damit ins Bergwerk ausgeliefert zu werden. Ich arbeitete in der Lagerbibliothek und lernte dabei einen amerikanischen Sergeanten kennen, der mir bei meiner Entlassung behilflich war.»

Gibt es von Walser unveröffentlichte Jugendarbeiten?

«Gottseidank sind sie unveröffentlicht. 1947 bis 1948 schrieb ich die erste längere Prosaarbeit unter dem Titel ‹Schüchterne Beschreibungen›. Winzige Teile davon wurden dann später in *Halbzeit* aufgenommen. 1953 las ich einen Abschnitt daraus auf der Tagung der Gruppe 47.»

Teile von *Halbzeit* und *Einhorn* haben nicht den Anschein von Fiktion, sondern von Dokumentation. Gibt es irgendwelche Modelle für Alissas Tagebuch oder für den Bericht des Amerikafahrers Paul Kristlein?

«Alissas Tagebuch ist mein eigenes Tagebuch, auf eine Frau umgedacht und umgeschrieben. Ein Tagebuch in einem Roman ist wie eine Rolle in einer Rolle. Für den Bericht über Onkel Paul hat mir ein Freund die Briefe seines Großonkels aus Oregon zur Verfügung gestellt – ich habe da etwa vierhundert Seiten Briefe in meine Syntax transponiert. Über mein eigenes Zeitalter kann ich schreiben, über ein anderes brauche ich Dokumente, die ich dann manipuliere.»

Martin Walser ist sonst kaum auf Dokumente und Modellfälle angewiesen.

«Nichts kommt aus dem Gehirn, was nicht vorher vom Gehirn aufgenommen wurde. Das ist ein komplizierter Vorgang, der sich auf viele Jahre erstreckt. Was ist denn eigentlich Phantasie? Jedes Erlebnis verursacht eine Narbe im Gehirn, metaphorisch gesprochen. Wenn Sie heute über irgend etwas nachdenken – sagen wir über einen Heizungsmonteur –, dann kann es sein, daß Sie plötzlich so viel wissen, als ob Sie sich in fünfundzwanzig Jahren mit nichts anderem als Heizungsmonteuren beschäftigt hätten. Das alles ist in Ihrem Gehirn abgelagert, das ist dann Phantasie. Als ich 1958 aus Amerika zurückkam, beschäftigte ich mich mit *Halbzeit*. Am Schreibtisch erfuhr ich von Tag zu Tag mehr über Vertreter. Peinliche Situationen mit Leuten, die verkaufen wollten, was niemand brauchte, wurden wieder lebendig, Vertretererlebnisse fielen mir ein, die ich längst verschüttet glaubte. Man hat doch viel mehr Erfahrung als man glaubt.»

In Walsers Romanen kommen eine Reihe Homosexueller vor. Eine der wichtigsten Gestalten aus *Halbzeit*, nämlich Edmund, ist homosexuell. Wie läßt sich die Faszination erklären, die die Homosexualität als literarisches Thema auf Walser ausübt?

«Der Unterschied weiblich-männlich ist doch nur eine Schulbucheinteilung, reine Geschlechtlichkeit gibt es nur im Witzbuch.»

Viele von Walsers Figuren haben Selbstmordgedanken, einige töten sich tatsächlich.

«Nicht viele Menschen besitzen die Freiheit, über ihr Leben zu verfügen, die meisten haben Verpflichtungen anderen gegenüber, die nicht ohne weiteres abzuwerfen sind. Und auch die, die wirklich frei wären, leben bis auf einige Ausnahmen weiter. Das ist tröstlich für die, die nicht so frei sind.»

Als Prosaschriftsteller ist Walser vor allem Kafka und Proust verpflichtet, als Stückeschreiber vor allem Brecht. Welche der zeitgenössischen Autoren schätzt er besonders?

«Ich habe wenig Zeit zum Lesen. Ich arbeite für den Suhrkamp-Verlag als Theaterlektor und lese da viele Stücke mit, meist von jüngeren Autoren. Das ist fast immer interessant. Von dem, was gedruckt erscheint, lese ich wenig. Uwe Johnson ist der einzige Autor, von dem ich alles gelesen habe. Seit 1965 lese ich mehr politische, soziologische Bücher, vor allem marxistische. Der interessanteste jüngere Prosaautor ist für mich momentan Thomas Bernhard.»

Was hält Walser von der Literatur der DDR, von Christa Wolf etwa?

«Christa Wolf kenne ich nicht, ich habe nur wenige Bücher von drüben gelesen.»

Hat Walser nähere Freunde unter den Schriftstellern unserer Zeit? «Ich bin befreundet mit Johnson und Enzensberger. Von Grass bin ich immer wieder persönlich sehr eingenommen, doch kommt es gewöhnlich zu Reibungen wegen politischer Meinungsverschiedenheiten. 1961 konnte ich noch eine Schrift für die SPD herausgeben, doch heute liegen meine Hoffnungen jenseits der SPD. An Grass bewundere ich die Verbindlichkeit und den Sinn für praktische Fragen, der für einen Schriftsteller doch ungewöhnlich ist.»

Wie steht Walser heute zur Gruppe 47?
«Seit der ersten Tagung der Gruppe im Ausland ging ich nicht mehr hin. Ich war von Anfang an gegen diese Auslandstagungen, konnte mich aber nicht durchsetzen. Jetzt braucht man keine Meinung mehr über die Gruppe zu haben, es gibt sie nicht mehr.»

Walser hat sich des öfteren in einem negativen Sinne über Goethe geäußert. Das sogenannte klassische Erbe bedeutet ihm anscheinend nicht viel.
«Schiller schon, ehe er unter den Einfluß Goethes kam. Für mich ist das mehr ein gesellschaftliches als ein literarisches Problem. Goethe hatte zu einem entscheidenden Zeitpunkt der deutschen Geschichte die Chance, die bürgerliche Kultur in eine geradezu demokratische Richtung zu lenken, doch er ging an den Hof. Dies ist der exemplarische Verrat in der deutschen Geistesgeschichte. Gerade er hätte es sich leisten können, nicht an den Hof zu gehen. Die Französische Revolution erkannte er erst an, als sie in Gestalt eines Kaisers zu ihm kam. So konnte dann solch völlig unernste, unverbindliche Literatur wie die *Iphigenie* entstehen, die man hundertfünfzig Jahre lang als humanes Lippenbekenntnis nachbetete, das man politisch nicht ernst zu nehmen brauchte. Den Goethe-Kult finde ich allerdings noch widerlicher als den Mann selbst – der war wenigstens lebendig, zumindest in seiner Jugend.»

Läßt sich Walser heute noch literarisch anregen, wenn nicht beeinflussen?
«Ich werde immer weniger anregbar. Die Werke aus dem Ausland muß ich ohnehin in Übersetzung lesen, auch Proust. Im Original lese ich nur englische Bücher. Gern anregen ließe ich mich von Hölderlin. Hölderlin ist immer noch der wichtigste Zustand der deut-

schen Sprache. Wichtig für mich ist auch Robert Walser, er hat mir viel mehr zu sagen als beispielsweise Thomas Mann.»

In Walsers Büchern gibt es einen Pfeifenraucher Karsch, in dem man leicht Uwe Johnson erkennen kann. Gibt es mehr solcher Beziehungen?
«Sicherlich, doch gibt es meist nicht *ein* Modell, sondern mehrere. Für den Komponisten Nacke Dominick Bruut gibt es gleich drei oder sogar vier lebende Vorbilder.»

Walser wählt die Titel seiner Werke und die Namen seiner Gestalten mit großer Sorgfalt. Der Name seiner Hauptfigur Anselm Kristlein verweist zweifach auf die religiöse Sphäre.
«Anselm nannte ich ihn nach meinem Bruder Anselm Karl, der als Kind Anselm und später Karl gerufen wurde. An eine andere Herkunft dieses Namens habe ich nie gedacht. Kristlein ist ein Name, der am Bodensee vorkommt.»

Es gibt in Walsers Büchern einige Satzkonstruktionen, die im Schriftdeutsch nicht vorkommen, zum Beispiel: «So einen Freund, wenn man hätte.» Oder: «Melitta, wenn jetzt über den Plattenweg käme.»
«Das wollte man mir vom Verlag aus ausreden, aber ich habe mich gesträubt. Im Dialekt ist das eine Form der Hervorhebung, die ich übernommen habe.»

Glaubt Walser, daß ein Mensch, der wie Anselm verwundet im Bett liegt, so keß und burschikos wie im *Einhorn* schreiben kann?
«Trauer schließt keineswegs Frechheit oder Lustigkeit aus. Auch wirklich Trauernde lachen, selbst wenn der Tote noch im Haus ist. Die Trauer wird dadurch nicht beschädigt.»

Die Zimmerschlacht und *Who is afraid of Virginia Woolf?* kamen etwa zur gleichen Zeit heraus. War das Zufall?
«Ich sehe keine Beziehung zwischen diesen beiden Stücken. Das Thema des einen ist Liebe, das Thema des anderen Haß. Albees Stück ist viel radikaler und größer gebaut. In der *Zimmerschlacht* sind zwei Menschen zusammengesperrt, die sich lieben, die aber allein ihre Ehe nicht ernähren können. Nur in der Gesellschaft sind sie aufgehoben. Sie nehmen dann auch jede Demütigung in Kauf, nur um nicht allein zu sein, denn allein können sie sich nicht helfen.»

Warum wählt Walser immer wieder die Ehe zum Thema seiner Stücke und seiner Romane?

«Ich wähle nicht, die Themen drängen sich einfach auf. Meine nächsten Romane sind schon in meinen Notizbüchern. Wählen muß ich dann am Ende nur die Titel, womit ich immer Schwierigkeiten habe. Nach dem Titel *Abstecher* zum Beispiel habe ich wochenlang gesucht.»

Fühlt Walser, daß die Kritik an seinen Stücken gerechtfertigt ist?

«Kritik schon, aber nicht die Kritiker, die etwa nach einmal Hinschauen Stücke für unspielbar halten, die nachher fünfzig- oder sechzigmal inszeniert werden.»

Die Kritik der Romane?

«Ich weiß nie so recht, was die Kritiker von mir wollen. Auf der einen Seite loben sie mich regelmäßig für ‹Virtuosität des Ausdrucks› und für mein ‹Sprachtalent›, auf der anderen kritisieren sie mich dafür, daß meine Sprache überläuft und überquillt und so weiter. Was soll ich da lernen? Anscheinend wissen die Kritiker selbst nicht, daß sie mich da für ein und dasselbe Ding loben und tadeln. Ich bin allmählich zu der Einsicht gekommen, daß sie ihren Weg gehen müssen – und ich muß den meinen suchen. Wenn man dann natürlich negative Kritik en bloque erhält und man ist allein, fragt man sich doch manchmal, ob man so weiter machen kann. Andererseits weiß ich natürlich, daß die Arbeit, die ein Kritiker verrichtet, allmählich den Intellekt verschleißt. Ich habe oft sehr feine Kerle unter den Kritikern getroffen. Aber ich habe auch gesehen, wie bei dieser Arbeit ein ursprünglich guter Kopf allmählich verkommt. Der Kritiker hat eine oder zwei Wochen, um mit einem Buch fertig zu werden. Da muß er sich oft genug mit Routine helfen. Ein Kritiker müßte alle zwei oder drei Jahre mal ein Buch schreiben, daß er zu einer länger dauernden Konzentration gezwungen wäre. Die bloße Reaktions-Routine müßte alle paar Jahre unterbrochen werden. Nicht gesammelte Kritiken noch einmal als Buch verkaufen - ein Buch schreiben, die Begriffe überprüfen ohne aktuellen Anlaß, das wärs!»

Nach der Unverbindlichkeit von Walsers langen Romanen ist seine Entwicklung zum Marxisten eine Überraschung.

«Der Marxismus ist eine Wissenschaft – man muß sich ausbilden, ehe man von sich selbst sagen kann, man sei Marxist. Eine unbelehrte Tendenz zum Marxismus war bei mir, glaube ich, immer vorhanden. Die Figuren in *Ehen in Philippsburg* beispielsweise existieren nicht für sich selbst, sondern durch ihr Milieu, ihre Klasse. Alle meine Geschichten sind aus den Erfahrungen in einer Klassengesellschaft entstanden, ohne daß ich damals über das begriffliche Werkzeug verfügt hätte. Ein Stück, das ich jetzt schreiben würde, müßte marxistischer Kritik standhalten können. Früher war ich eher überheblich gegenüber soziologischen Interpretationen. Wenn ich etwas wissen wollte, las ich keine soziologischen, sondern medizinische Bücher. Ein soziologisch-literaturwissenschaftlicher Student nannte *Halbzeit* ‹affirmativ›: in diesem Buch gebe es keine Freiheit, der Autor akzeptiere die Unfreiheit seiner Figuren als Naturbedingung, er bestätige einen schlimmen Zustand, ohne ihn als überwindbar zu zeigen. Daraus resultiert der Einwand, meine Romane – *Halbzeit* beispielsweise – seien nicht so richtig gesellschaftskritisch: ich sage nicht, wie die Gesellschaft sein sollte. Ich kann da nur zustimmen: ich wollte gar nicht sagen, wie die Gesellschaft sein soll. Ein konservativer Kritiker wie Günter Blöcker und ein linker Literatursoziologe wie Thomas Beckermann stimmen darin überein, daß der Anpassungsvirtuose Anselm Kristlein kein Vehikel für Gesellschaftskritik sei. Hinter dieser Ansicht verbirgt sich, glaube ich, ein idealistischer Anspruch. Ich bin der Ansicht: wenn die Gesellschaft stagniert, muß sie auch in der Literatur als stagnierend gezeigt werden. Alles andere wäre irreal.»

Was sagt Walser zu der fast einstimmigen Ablehnung seiner Prosastudie *Fiction?*

«In dieser Arbeit wollte ich nur ‹ich› sein. Sie war vor allem als eine Probe für meinen nächsten Roman gedacht. Ich wollte feststellen, ob ich noch eine größere Intimität zu mir selbst finden kann und trotzdem verständlich bleibe. Für mich haben die Sätze in *Fiction* dieselbe Konsequenz wie wenn ich sage: ich gehe schwimmen, dann trockne ich mich ab und so weiter. Ich werde immer mißtrauischer gegenüber der Imitation im Roman. Ich bin jetzt gegen Abbildung der Welt als geordnete Geschichte, die ihre abhebbare Bedeutung auf der Stirn trägt. Im Sommer 1946 las ich nebeneinander Kafka und André Gide – von einem Tag auf den anderen wurde es mir unmöglich, Gide zu lesen. Bei Kafka gibt es ein allgemeines Prosaverhältnis zur Realität, das heute nicht mehr unterschritten werden dürfte. Ich staune immer wieder, daß ein Autor es wagt, Vorgänge so zu schildern, als hätten sie sich wirklich ereignet. Für mich ist das bei aller gekonnter Komposition und Metaphorik nur kunstgewerbliche Anstrengung. Bei solch einem Versuch müßte ich mich für Sachen interessieren, die mich nicht interessieren. Mich interessiert nur das akute Weltverhältnis des Gehirns. Jeder Roman zwingt natürlich seinen Autor in die Knie. Nehmen Sie die Bücher Edgar Allan Poes – hier drückt sich ein Autor unmittelbar aus. Natürlich muß man das trainieren, es sollte in nichts Agnostisches, Solipsistisches verlaufen. Zumindest möchte ich eine Zeitlang probieren, ob sich im Bewußtsein soviel Welt ablagert, daß man dieses Bewußtsein an die Stelle der bloßen Imitation setzen kann.»

Hat Walser neben *Fiction* noch andere Versuche von «Bewußtseins-Literatur» gemacht?

«Ich habe davor bereits zwei Versuche unternommen. Einen Essay von etwa hundertzwanzig Seiten habe ich vorzeitig abgebrochen. Dann habe ich geschrieben: ‹Aus dem Wortschatz unserer Kämpfe›. Innerhalb von drei Wochen hatten sich sämtliche in der Sprache abgelagerten Kampfformeln eingestellt. Verglichen mit *Fiction* war das ein etwas mechanistischer Vorversuch. Alles war vorhanden in der Sprache, man brauchte es nur mit einem besonders geeichten Magnet aus der Sprache herauszuziehen.»

Würde ein Autor mit dieser Methode nicht das große Publikum von vornherein aufgeben? Würde er nicht von Anfang an für einen kleinen Kreis Eingeweihter schreiben?

«Ich kann nicht viel verlieren, ich war nie ein Autor der Hunderttausend. Solche Literatur sollte aber gesellschaftlich relevant sein, sie sollte nichts Esoterisches sein. Bis jetzt ist das ja nur ein Wunschtraum.»

Gelten Walsers Ideen einer «Bewußtseins-Literatur» nur für die Prosa oder will er sie auch auf Drama und Lyrik angewendet wissen?

«Das betrifft die Bühne und die Lyrik ebenso.»

Hat nicht schon Hölderlin so etwas wie «Bewußtseins-Lyrik» geschrieben?

«Sicherlich. Nehmen Sie nur den Unterschied Hölderlins zu den Erlebnisgedichten Goethes und seinen fürchterlichen Anweisungs- und Ratschlagsgedichten. Hölderlin fängt ähnlich an, läßt sich aber immer weniger direkt beziehen. Das ist die einzige relativ ‹unsterb-liche› Literatur, Goethes abgepackte Weisheiten sind dagegen nur noch lächerlich. Das Kanaan der Ausdruckspraxis findet man bei Hölderlin.»

Wie unterscheidet sich Joyce von dieser «Bewußtseins-Literatur»?
«Joyce lud die Bewußtseinsfunktionen dem Sprachmaterial selbst auf. Das hängt aber von der Sprache ab. Im Englischen ging das, das Deutsche kann man nicht so ohne weiteres aufweichen und wieder zusammenleimen. Das Beispiel Arno Schmidt zeigt, daß das zu einer Kalauerpraxis führen kann. Ein Autor sollte ein Problem beim Schreiben hervorbringen, er sollte nicht ein bestehendes Problem in seinem Stück lediglich fixieren.»

Was betrachtet Walser als sein mißlungenstes Werk?
«*Der schwarze Schwan* ist mein schlechtestes Stück. Das Problem lag vor, ich habe lediglich eine Verschärfung der Bewußtseinslage versucht. Beim Schreiben war schon alles klar. Das ist aber der Weg des Wissenschaftlers, während für den Autor das Schreiben ein Mit-tel ist, die Realität erkennen zu können. Andernfalls schreibt man schon besser einen Vortrag. Ich persönlich schreibe allerdings auch Aufsätze nur dann, wenn ich etwas nicht genau weiß, worüber ich mir dann beim Schreiben klar zu werden versuche.»

Das Einhorn war lange Zeit ein Bestseller. Lohnt es sich finanziell, Schriftsteller zu sein?
«Für *Das Einhorn*, mit Übersetzungen und so weiter, habe ich bis jetzt achtzigtausend Mark bekommen. Das war für meine Erfahrun-gen schon ein großer Erfolg. Mit den anderen Romanen verdiente ich kaum ein Viertel davon. Sie dürfen meine Bücher nicht mit der *Deutschstunde* oder der *Blechtrommel* vergleichen, meine Bücher haben nie die großen Auflagen gehabt. Wenn die Saison nach dem Erscheinen eines Buches vorbei ist, fällt der Verkauf ganz rapide ab. Jetzt bekomme ich für zehn Titel im halben Jahr zwischen zweitau-sendfünfhundert und dreitausendfünfhundert Mark, Übersetzungen mit eingerechnet – das sind fünfhundert Mark pro Monat. Etwas

besser ist es mit den Stücken. *Die Zimmerschlacht* wurde in der Berliner Inszenierung siebzigmal aufgeführt, dazu noch zirka hundertfünfzigmal auf Tournee. Allein dafür bekam ich dann an die fünfunddreißigtausend Mark. *Der Abstecher* brachte in zehn Jahren etwa fünfundvierzigtausend Mark ein. Die Großeinnahmen steckte ich in dieses Haus.»

Ist Walser von Bonn in irgendwelcher Weise gefördert worden?
«Nicht daß ich wüßte. Vor zehn Jahren wäre ich gerne in die Villa Massimo nach Italien gefahren. Heute geht das nicht mehr wegen der großen Familie. Ich hatte einmal eine Einladung in die UdSSR, die von Bonn gestrichen wurde.»

Werden Martin Walsers Werke in den sozialistischen Ländern verlegt?
«*Ehen in Philippsburg* ist in Polen, in der Slowakei und in Bulgarien erschienen. Es sollte auch in der DDR erscheinen, doch wollte man dort Streichungen vornehmen, mit denen ich nicht einverstanden war. Sonst sind nur die Stücke und die Erzählungen im Osten erschienen. Meine Stücke wurden wiederholt in der DDR und sonst in Osteuropa gespielt, besonders *Die Zimmerschlacht*. Der Mann in der *Zimmerschlacht* mußte sich in der DDR allerdings am Ende umbringen. Das ist falsch, es ist nämlich viel weniger, als wenn er in die Gesellschaft zurück muß.»

Was hat man in der DDR an *Ehen in Philippsburg* beanstandet?
«Die Abtreibungsgeschichte.»

Warum sind die beiden langen Romane nie in der DDR erschienen?
«Ich nehme an, wegen der Erotik.»

Könnten da politische Gründe mitspielen?
«Ich sehe keinen Grund, aber das müssen die dort besser wissen. Die Erotik spielt vielleicht eine zu große Rolle. Dabei taucht die Erotik in meinen Büchern nie um ihrer selbst, sondern immer in gesellschaftlicher Bedingung auf und wird davon bestimmt.»

Wie ist Walsers überraschende Entwicklung zum Marxisten zu erklären?

«Sie ernennen mich dazu. Ich käme mir dabei etwas hochstaplerisch vor, weil eben Marxist sein nicht nur eine Frage des guten Willens ist, sondern erlernt sein will. Aber man kann nicht ausschließlich in der Gegenwart leben, man kann nicht leben, ohne sich zu fragen, wie es weitergehen soll mit der Teilung der Welt. Ohne Amerikas Entlarvung in Vietnam hätte ich das nie so deutlich empfunden. Seitdem ist mir nicht mehr wohl, unbedacht dieser Gesellschaft anzugehören: ich sehe doch, wozu sie fähig ist. Man muß also mitdenken, man muß die kapitalistische Gesellschaft mit der sozialistischen vergleichen. Man muß einen politischen Vorgang beurteilen können, ich kann das nicht nur als Nachrichtenkonsument auf mich eindringen lassen. Ich möchte verstehen, was in Südamerika und Asien geschieht.»

Thomas Mann hatte eine leichte Entscheidung: die Verbrechen der Nazis auf der einen Seite, relative Gerechtigkeit auf der anderen. Ist die Situation heute nicht viel komplizierter?

«Gegenwart ist immer kompliziert, glaube ich.»

Bei den letzten Landtagswahlen erhielten SPD und CDU in den meisten Ländern über neunzig Prozent der abgegebenen Stimmen. Anscheinend ist die Bevölkerung mit dem Kurs der Bundesrepublik einverstanden.

«Die Bevölkerung wird nicht wirklich informiert. Die Informationen dienen der Einschläferung. In den Wirtschaftsberichten unserer Zeitungen ist wenig drin, was politische Rückschlüsse erlauben könnte. Vor allem wird über Wirtschaft bei uns nur in einem Jargon gesprochen, der Information verhindert, ein Jargon *ad usum Delphini.*»

Als Schriftsteller ist Martin Walser auf das Wort angewiesen, auf das freie Wort. Sein Freund Uwe Johnson hat sich aus der DDR abgesetzt, weil ihm das freie Wort dort nicht gewährleistet schien.

«Das ist gerade die Schwierigkeit mit der DDR: das war eine importierte Gesellschaftsordnung. Man kann in Weimar oder am Bodensee nicht den Sozialismus unvermittelt aus Moskau einführen. In der Bundesrepublik werden wir schließlich von Italien und Frankreich lernen, wir werden wahrscheinlich auch in dieser Entwicklung hinter Frankreich und Italien herhinken, wie schon öfter in politisch-zivilisatorischen Prozessen.»

Der Marxismus ist immerhin in Deutschland gewachsen.

«Ja, aber nur als Theorie. Noch vor der Jahrhundertwende werden wir einen westlichen sozialistischen Staat haben, von dem wir lernen können.»

Müßte sich Martin Walser dann nicht umstellen? Noch gibt es keinen sozialistischen Staat, in den er hineinpaßte, noch ist die Existenz des freien Schriftstellers nur in einer kapitalistischen Gesellschaftsform möglich.

«Die Diktatur des Proletariats war vielleicht in Rußland notwendig. Man kann aber nichts einfach übertragen von Land zu Land, von Jahrhundert zu Jahrhundert. Das wäre mechanisch, nicht dialektisch.»

V

Übersicht über die Kritik

Friedhelm Baukloh über *Halbzeit*: «Unermüdlich liest man Seiten über Seiten mit aggressivster Zustandskritik und Beobachtung, in Form eines an Tucholsky geschulten grimmigen Humors. Darum natürlich mit viel subjektiven Spitzen. Es will auch nicht jeder Satz auf die Goldwaage gelegt werden und mancher will fruchtbares Ärgernis geben. Will provozieren, was in unserer Bierruhe ja sogar gelungen ist, Walser gelungen ist, ihm mehr als Kuby oder Schlamm, weil die Literatur eine größere Strahlkraft des Humanen und Moralischen hat als die bloße analytische Radikalität der Einseitigen.» («Der Walser-Rapport», *Echo der Zeit*, 11. 6. 1961)

Wilfried Berghahn über *Halbzeit*: «... hat er dennoch ein Buch geschrieben, das man getrost den epischen Fundamentaluntersuchungen unserer Literatur zugesellen darf.» («Sehnsucht nach Widerstand», *Frankfurter Hefte*, XVI, 2 [1961], S. 135–137)

Frederic W. Binns über *Ehen in Philippsburg*: «No attempt is made to describe real life. The author is too much with his book, manipulating his characters, directing his reader's attention to what he feels to be important. He has not created flesh and blood people; action, incident and dialogue are never used to reveal character.» («Walser, Martin: Marriage in Philippsburg», *Library Journal*, CXXXVI, 15 [1. 9. 1961], S. 2823)

Günter Blöcker über *Halbzeit*: «*Halbzeit*, der zweite Roman Walsers, ist ein Meisterstück jener bellenden Oberflächlichkeit, die alles weiß, alles kennt, alles formulieren kann und eben dadurch ein Gefühl fürchterlicher Leere in uns weckt. ... Vom Speziellen, Persönlichen greift das aufs Ganze, Allgemeine über, bis die Welt in den Wogen einer sich selbst verschlingenden Formulierungswut unterzugehen droht. ... 900 Seiten ohne Anfang und ohne Ende. 900 Seiten, die man ebensogut von hinten nach vorn wie von vorn nach hinten lesen, die man ohne Verlust an erzählerischer Substanz auch auf 90 reduzieren oder – ohne entsprechenden Gewinn – auf 9000 ausdehnen könnte ... Kein Buch der geformten Vielfalt, des disponierten Reichtums, sondern eine Wucherung. Ein Triumph des Quasselromans. Ein Marathon der ‹Sabberstriemen›, um im Vokabular des Dichters zu bleiben.» (*Kritisches Lesebuch*, Hamburg 1962, S. 187–191)

Günter Blöcker über *Lügengeschichten*: «*Lügengeschichten* sind ein unkaschiertes, nicht mehr durch romanhafte Aufblähung entstelltes Bekenntnis zur erzählerischen Miniatur – bemerkenswerterweise hat der Verfasser fast gleichzeitig mit ihnen eine Studie über seinen Namensvetter Robert Walser veröffentlicht. Beide Walser haben das, was der deutsche Schriftsteller dem Schweizer, der Kafka-Nachfahre dem Kafka-Vorgänger nachrühmt: Sie unterwerfen den Alltag so lange ihrer Sprachdressur, bis ‹noch die schlimmsten Erfahrungen ... als Schafe im Kreise herumgehen›. Die Welt wird zu einer Bühne, auf der das Krude sich zum Gleichnis fügt und das Erbärmliche mit Sanftmut zelebriert wird.» (*Literatur als Teilhabe*, Berlin 1966, S. 46–51)

Günter Blöcker über *Das Einhorn:* «Walser nimmt Proust überall da für sich in Anspruch, wo dieser ihm Erleichterungen gewährt. Der Kult der kleinen Dinge, die Auflösung des Persönlichkeitsbegriffs, der Verzicht auf geschlossene Erzählform – in alledem fühlt er sich von ihm bestärkt. Das Entscheidende jedoch macht er sich nicht zueigen, daß nämlich Proust diese und andere Freiheiten keineswegs sinn- und zweckfrei geübt, sondern in den Dienst eines ebenso weitgespannten wie peinlich genau eingehaltenen Plans gestellt hat: des schon übermenschlichen Versuchs, die Vergänglichkeit zu überlisten. Walser läßt sich von seinen Talenten jagen, er feuert unentwegt in alle Richtungen gleichzeitig. Nichts scheut er so sehr wie eine solide Festlegung. ... Auf einer der letzten Seiten dieses in all seiner Überfülltheit unsäglich öden Buches steht sein wichtigster und wahrster Satz: ‹Anti-Wörter brauchte ich.› Wahrhaftig, so ist es; und wenn er sie gefunden hat, wird er darangehen können, einen Roman zu schreiben.» («Die endgültig verlorene Zeit», *Merkur*, XX [1966], S. 987–991)

Günter Blöcker über *Fiction:* «Der von Haßliebe umwitterte Begriff ‹fiction› (schon die betonte Hervorkehrung des modischen angelsächsischen Terminus hat etwas Tendenziöses) wird ad absurdum geführt, indem der Autor ihn rücksichtslos mißbraucht. Nicht die Möglichkeitsformen eines bestimmten Menschen innerhalb einer selbstgesetzten und dann für verbindlich erachteten Prämisse werden vorgeführt, sondern die Ausschreitungen einer sich als absolut verstehenden Einbildungskraft schlechthin. Einer Einbildungskraft, die ihre Allmacht dadurch bekundet, daß sie sich von Seite zu Seite, ja nicht selten von Zeile zu Zeile widerruft.» («Das Urteil über sich selbst gesprochen», *Frankfurter Allgemeine Zeitung*, 3. 3. 1970)

Georg Böse über *Ehen in Philippsburg:* «Und doch steigt gerade an den Stellen, an denen Walser in einer nicht zu überbietenden Realistik die sexuelle Gier in ihren zahlreichen Spielarten beschreibt, in dem Leser ein Gefühl des Unbehagens auf, durchaus nicht aus Prüderie. Während der Verfasser sonst mit klaren Augen Menschen und Dingen präzise-sachlich zu zeichnen imstande ist, kühlt er hier offenbar ein privates Mütchen, verliert er von seiner Souveränität, die jeder Autor dem Leser gegenüber ausstrahlen muß. Einige Abschnitte in diesem auf Redlichkeit versessenen Buch sind so undelikat, geraten so fatal in die Nähe der Pornographie, daß die Darstellung, die das Thema meist in ihrem Kern trifft, es hier auf eine banale Weise verfehlt.» («Buch der Woche», *Hessischer Rundfunk*, 8.12.1957)

Helmut M. Braem über *Ehen in Philippsburg:* «Martin Walser ist kein blasser Schreibtisch-Akrobat, sondern ein Mann, der die Sprache der salbadernden, selbstgefälligen ‹Kulturträger› ebenso beherrscht wie die der Industriellen, Kunsthändler, Bardamen, Vorzimmermädchen, Anwälte und Pförtner. Daß dieser Stil ihn ein paarmal zu Vulgarismen verführt, ist begreiflich, wenn auch nicht verzeihlich. Was aber den Wert seines Wortes ausmacht, ist, daß er es nur selten als ein Mittel der baren Mitteilung gebraucht, sondern es als Charakteristikum einer Person, Situation oder Sache zu nützen weiß. Dies schützt ihn (meist) vor der Gefahr, einem platten Jargon zu verfallen, und erlaubt ihm zugleich, das geistige Klima der einzelnen Gestalten zu erhellen.» («Lug und Trug», *Deutsche Rundschau*, Dez. 1957)

Günther Busch über *Halbzeit:* «Inventarisiert sind die ausgebrannten Visionen vom glücklichen Leben, die Hülsen aller Wiederaufbaueitelkeit, inventarisiert ist die kosmetisch verbrämte Vertiko-Philosophie, einst Vehikel familiärer Erbauung, heute sowohl in der Politik wie in der Wirtschaft wie in der Moral als ein Prunkstück neudeutschen Glanzes wiedererstanden, Ordnung vortäuschend, Unordnung verhehlend. *Halbzeit* – das ist Walsers Einspruch gegen den Aberglauben, daß alles so weiter geht.» («Unser Buch des Monats», *Panorama*, IV, 11 [Nov. 1960], S. 2)

Peter O. Chotjewitz über *Das Einhorn:* «Selten ist versucht worden, Mittelmäßigkeit sexueller Verhaltensweisen so exhibitionistisch zu exemplifizieren. Kein Wunder, daß in Sachen Sexus bei Walser nichts anderes als Klischees herauszuspringen scheinen ... Auf's Ganze gesehen wird man über weite Strecken den Eindruck nicht los, Walser habe mit seinem Buch einen überdimensionalen Zettelkasten über das Volk ausschütten wollen, jedoch unberücksichtigt gelassen, daß die Summe vieler kleiner Geschichten nicht eine große Geschichte ist. Auch nach alter Art ist ein Rahmen vonnöten, und der muß stimmen. So wie es ist, stellt sich dagegen immer wieder das Gefühl ein, einem in seinem Einfallsreichtum unnachahmlichen Leerlauf beizuwohnen – unnachahmlich, weil dieses Sprudeln der Phantasie, sprachspielerisch und in den Geschichten, Walser immer noch keiner nachmacht.» (*Literatur und Kritik*, 9/10 [1966], S. 109–113)

John Coleman über *Ehen in Philippsburg:* «The writing has all manner of acuity and distinction, but these are curiously unrelated to any central organisation: everything is seen as through glass and while this has considerable effect in Hans's Kafkan impingements on others, it leads to restiveness when the story is handed over to more sophisticated protagonists.» («Public Showing», *Spectator*, 11. 3. 1960, S. 364)

Louise Cowan über *Ehen in Philippsburg*: «But it remains [für *Ehen in Philippsburg*] to ignore most noticably the principles of fiction writing as anything more than naturalistic reporting.» («Flat Surfaces», *National Review*, 21. 10. 1961, S. 273 f.)

Hans Magnus Enzensberger über Martin Walser: «Walsers epische Breite hat nicht die Totale, sondern die Nahaufnahme im Sinn, entwirft keine Bilderbogen, sondern präpariert mit erbarmungsloser Bescheidenheit mikroskopische Verästelungen, an denen der makroskopische Befund des Gemeinwesens abzulesen ist. Die sanfte Wut des Hin- und Herwendens, der schlaflose Prozeß, der in dieser Prosa der Umwelt gemacht wird, ist Walsers Kritik an ihr. Sie ist nie frontal. Die Spitzhacke gehört nicht zu ihrem Handwerkszeug. Nichts wird ein- und abgerissen. Doch ist ihre Prämisse, daß nichts auf der Welt stimmt, daß unsere Bekanntschaft mit ihr durchaus unzuverlässig und ungenügend ist. Jede Feststellung macht deshalb die abgefeimtesten Wendungen nötig. Alles muß von neuem ergriffen werden. Jedes Steinchen wird um- und hin- und hergewendet bei diesem Prozeß. Die Sprache wird bis in ihre letzten Reserven aufgeboten. Der Erzähler ist der Zauberlehrling; er ruft ihr, und sie deckt ihn zu mit Wörtern. Von überall her fliegen sie herbei, aus dem Geschwätz, aus den Zeitungen, aus Hölderlinversen und Reklameschildern, überhäufen ihn mit Perlen und Quatsch, mit Strömen von Einfällen.» («Ein sanfter Wüterich», *Einzelheiten*, Frankfurt 1962, S. 240–245)

Erlanger Tagblatt über *Ehen in Philippsburg*: «Walser ist ein feiner Beobachter ... Er kann gesellschaftskritisch schildern, kann grotesk zeichnen.» («Gesellschaftskritik von Heinrich Mann und Martin Walser», 17. 12. 1957)

Frankfurter Neue Presse über *Fiction*: «Fiction. Dichtung. Gedichtetes. Vielleicht war es gar kein Mord. Es ist die Rede von einer Nacherzählung (er wird doch nicht den Handtke [sic!] gelesen haben, im Manuskript?). Aber Peter beiseite, es ist schon ein Kreuz, und die Kritiker werden erst wieder aufatmen, wenn Martin Walser den nächsten Roman auf den Weihnachts- oder Ostertisch legt, einen rechtschaffenen, meine ich.» («Im Labyrinth der Sätze», 24. 3. 1970)

Fricke-Klotz über *Halbzeit*: «Unter dem Titel *Halbzeit* ... – ingrimmige, sprachversessene Bilanz der bundesrepublikanischen High Society zur Jahrhundertmitte – entwirft Walser ein Riesenepos vom großen leeren Erfolg der Wirtschaftslenker und Kulturträger dieser Zeit. Es ist gleichsam ein negativer Bildungsroman ... Der überscharfe Blick für alle bezeichnenden Einzelheiten der darzustellenden Wirklichkeit und die Lust, diesen Einzelheiten bis in alle Abwege nachzugehen, vertrauen sich einer immensen Sprachvirtuosität an, die streckenweise allerdings nur ihre eigene Sache betreibt.» (*Geschichte der deutschen Dichtung*, Hamburg 1966, S. 494)

P. N. Furbank über *Ehen in Philippsburg*: «Walser's novel is in a style of sustained, impassioned, intellectually adventurous analysis used, though for greatly different purposes, by many European novelists – for instance by Musil, Sartre and Moravia – but for some reason not by English ones. Musil is perhaps the nearest parallel here: of both him and Walser it could be said that they write in depth, their descriptions of character and relationship work by a sort of mining process; the deeper they dig the more rewarding the veins and faults and channels they find in their subject.» («New Novels», *The Listener*, LXIII, 1618 [31. 3. 1960], S. 587)

Ronald Gray über *Beschreibung einer Form*: «This is a patient work, a genuine attempt at saying something that can stand, above reasonable dispute.» («Beschreibung einer Form. By Martin Walser», *German Life and Letters*, Jan. 1964, S. 167)

Peter Hamm über *Das Einhorn*: «Doch hier beginnt jene bösartige Dialektik, die Walsers neuen Roman bestimmt: auslöschen kann Sprache nämlich offenbar auch nicht. Sprache kann nur ihre eigene Materie beweisen, sie *bedeutet* nichts. Indem sie aber nichts außer sich selbst bedeutet (obwohl sie permanent dazu verführt, an außerhalb ihrer selbst liegende Bedeutungen zu glauben, – was sie mit der Liebe gemein hat), weist sie auf die Bedeutungslosigkeit auch alles Nicht-Sprachlichen hin; auf die Bedeutungslosigkeit all dessen also, was sie konservieren soll und nicht kann. Dies, und nicht was sich daraus über Erstickerinnen, Stöhnerinnen, Schreierinnen, Schriftsteller, Industrielle, Chauffeure undsoweiter an ‹Inhalten› nacherzählen ließe, ist das *Thema* von Walsers neuem Roman. Also und vor allem auch die Bedeutungslosigkeit von Literatur – und gerade von sogenannter engagierter, die doch stets nur Alibicharakter trägt und Idealismus produziert – ist das Thema.» («Nachruf auf Orli und eine Kultur», *Frankfurter Hefte*, 21 [1966], S. 795–797)

Peter Handke über *Lügengeschichten*: «Obgleich der sprachliche Fortschritt in Walsers *Lügengeschichten* unverkennbar ist, sei dennoch, abgesehen davon, daß sie in manchem an die Erzählungen Kurt Kusenbergs erinnern, zweierlei gegen sie vorgebracht: zum ersten vermag Walser oft nicht, die sprachliche Entdeckung in den Dienst der Sprache zu stellen; es ist zu spüren, wie er an dem Wort oder an der Wendung einen geradezu unmäßigen Narren frißt und seine Entdeckung, ohne sich an seine Geschichte zu halten, maßlos ausspielt und ausbeutet, damit der Leser ja merke, daß es dem Schreiber um die Sprache geht; so kommt es, daß einem manche Passagen entgleisen und kindisch erscheinen. Zum zweiten hat Walser seinen vielleicht größten Mangel bis jetzt nicht tilgen können: immer wieder gewinnt das Geschwätz über die ‹gerade Linie› die Überhand, dadurch, daß der Autor nicht imstand ist, sich selber in Zucht zu halten.» («Bücherecke», *Österreichischer Rundfunk*, 9. 11. 1964, 1. Programm Studio Graz)

Rudolf Hartung über *Ehen in Philippsburg:* «Der Roman Martin Walsers, und darin besteht seine grundsätzliche Problematik, verfolgt also zwei einander sich widersprechende Intentionen: er stellt mit dem negativen Helden eine ‹literarische› Figur (was keinen Einwand bedeutet) auf die Bühne, und er will die heutige Gesellschaft kritisch-ironisch beleuchten. Die erste Intention wird im Verlauf weitgehend preisgegeben; die Gesellschaftskritik jedoch schießt zu kurz, weil sie sich ganz an die Oberfläche hält und von keinem echten Problembewußtsein getragen wird. Erst wenn dies begriffen und festgestellt ist, darf man sagen, daß dieser erste Roman Martin Walsers weit mehr als nur ein Versprechen darstellt. Seine Ironien sind oft subtil und erheiternd, seine Entlarvungen (des allerdings bereits Entlarvten) virtuos, seine Sprache ist reich und genau. Erstaunlich geradezu, mit welchem Können konkrete Einzelheiten fixiert werden: das Schreiten junger Mädchen etwa, Jargonhaftes, Körpergefühle, Stimmungen. Ein Roman hohen Ranges, *wenn* die künstlerische Kraft, die vorwiegend noch im Detail und in einzelnen Zügen der Handlung steckt, auf das Werk im Ganzen hätte angewendet werden können!» («Explosion im Wasserglas», *Der Monat*, X, 111 [1957/58], S. 77 f.)

Rudolf Hartung über *Halbzeit:* «Martin Walser jongliert mit allen modernen Erzähltechniken, er beherrscht sie so souverän, als hätte er zwei Jahre mit dem Studium des *Ulysses* zugebracht, sein Buch ist voll Witz, Satire und Humor, es enthält blendende und ermüdende Partien, Kabarettistisches und kluge Aphorismen, nichts aber von Ernst und tieferer Bedeutung. Und mit all dem ist Walsers *Halbzeit* ein überaus konsternierender Roman. Gewiß nicht eine Bestandsaufnahme der Epoche, wie möglicherweise der Titel nahelegen möchte; dazu bedürfte es anderer Horizonte und Dimensionen, auf die der Autor resolut verzichtet hat. Der Roman ist reich und dürftig zugleich, und die Armut des Buches ist hier in einem sehr genau einsehbaren Sinn die Kehrseite seines Reichtums. Indem nämlich Walser alle Wirklichkeit virtuos in Sprache verwandelt und wie ein Artist auf der Bühne damit jongliert, verliert diese Wirklichkeit alle Schwere und Widerständigkeit, alles Dumpfe und jene schweigende Präsenz, die uns das Gefühl gibt, sie sei in Worten nicht auszuschöpfen und auch dann noch da, wenn keiner sie sieht oder von ihr spricht. Dieses Schweigen hat Martin Walser nicht mitgeschrieben; daß es so gänzlich fehlt, ist wohl der empfindlichste Mangel seines erheiternden, überaus frechen und sehr lieblosen Romans.» («Schaum in der Klarsicht-Tube», *Der Monat*, XXIII, 147 [1960/61], S. 65–69)

Rudolf Hartung über *Das Einhorn*: «Kluge Gedanken, kein Zweifel; an ihnen fehlt es dem Roman *Das Einhorn* nicht. Auch nicht an gelungenen Episoden, an Bravourstückchen, kabarettistischen Sondereinlagen ... Daß Martin Walser ein Könner hohen Grades ist, bedarf keines Beweises ... Martin Walser ist präzis und ausgezeichnet in einzelnen Szenen, aber er hat keine ausreichende Idee oder Konzeption für das Ganze. Auch mit Erzähltechniken wird nur jongliert – für die *Struktur* seines Romans etwa bedeutet es so gut wie nichts, daß Walser, wie oft im modernen französischen Roman, ein bereits erzähltes Geschehen zurücknimmt, widerruft. Spiel ist hier alles, fast alles.» («Martin Walser/Das Einhorn», *Neue Rundschau*, 77 [1966], S. 668–672)

Volker Hebbeln über *Ehen in Philippsburg*: «Sprachlich das gleiche. Schon der einzelne Satz ist errungen, ist bewußt formuliert und erhält dadurch eigenes Gewicht, verlangt vom Leser dauernde Konzentration. Eine stets gleiche Höhenlage, in der alle Stimmung erfriert, auch die erotische. Eingestreute Tagebuchnotizen einer der handelnden Personen sind stilistisch nicht unterschieden. Der Stil ist kein Charakterisierungsmittel, sondern dient der Aussagesteigerung.» («Für Sie gelesen und besprochen», *Bücherfreunde, Verleger und Autoren*, Flensburg 1957, S. 5–7)

Eduard C. Heinrich über *Fiction*: «Das ist, bitte, keine Blütenlese von Abortwänden, sondern Literatur. Besser gesagt, der schwache Abglanz sprachlicher und inhaltlicher Nachempfindung dessen, was Martin Walser an neuester Prosa hervorgebracht hat. Ein Schriftsteller schreibt sich mit eiserner Konsequenz seinen ganzen Ekel von der Seele, setzt Sensibilität in sprachliche Aggression um. Den verkürzten Sätzen fehlt meistens das Objekt. Mich können alle. Man weiß schon was.» («Pop-Kritiker gesucht», *Die Furche*, 21. 3. 1970)

Helmut Heißenbüttel über *Fiction*: «Was trägt, ist doch wieder der Zusammenhang der Geschichte. Was methodisch sein könnte, wird nicht als Methode eingesetzt, sondern als Machart für etwas, das bleibt wie eh und je ... Sinnvoll erscheint diese Erzählung Walsers nur, und darauf deutet ja auch der Titel *Fiction*, wenn man annimmt, der Walser'sche Romanheld

habe sich hier in einem seiner Tagträume seiner eigenen Fiktivität überführen wollen, dabei zugleich sich seiner Existenzgrundlage beraubend.
Seine, des Walserschen, wie vieler berühmterer Romanhelden Existenzgrundlage aber ist nicht die Sprache, sondern die Einbildungskraft. Walser
versucht zwar, die einbildende Phantasie in Sprache zu überführen, statt sie
nur nachzuerzählen. Aber es gelingt ihm nicht. Die teils banalen teils nek-
kischen Abschweifungen seiner Phantasie überwältigen immer wieder die
Sprache. Am Ende hebt sich beides auf.» («Neue Bücher», *Norddeutscher
Rundfunk*, 4. 4. 1970)

Werner Helwig über *Ehen in Philippsburg:* «Walser ist damit nicht mehr
nur eine Hoffnung des jüngeren deutschen Schrifttums, sondern eine Gestalt. Seine Sicherheit ist absolut. Sein Stil verzichtet auf Faxen. Die Les-
barkeit ist nicht davon abhängig, daß man sich (wie bei Arno Schmidt etwa)
‹einliest›. Er wird uns Buch nach Buch schenken, immer von seiner Offen-
heit geleitet und in ihr die Bedingung seines Schaffens erblickend. Und man
wird nicht befürchten müssen, daß er sich ‹verausgabt› habe. Hier verhält
es sich so, daß der Stoff sich im Zwang der Not seinen Autor erwählt hat.
Und *dieser* Stoff ist unausschöpfbar.» («Soziologie der Verzweiflung», *Atlantis*, Nov. 1958)

Werner Helwig über *Halbzeit:* «Die wunderliche säurehaltige Schöpfung
Walsers widersetzt sich einfach nur der Einordnung in die gewohnte Kate-
gorienschublade. Die Schubfächer ‹Roman›, ‹Erzählung›, ‹Tagebuch› verlieren ihren in der Literaturästhetik begründeten erbarmungslosen Klassifi-
zierungswert angesichts der Ehrlichkeit eines Mannes, der, ein Poet insge-
heim, seine unerhörte verbale Bestimmungsfähigkeit (einige hundert Sätze
könnte ich als Beispiel dafür anführen, daß mit ihnen eigentlich Gedichtan-
fänge gegeben sind, und zwar sowohl brave altmodisch liebliche, als auch
höchst moderne, pfefferig vieldeutige, raumraffende, zeithintertreibende,
zwölftonverpflichtete) dazu ‹mißbrauchte›, um seine Ehrlichkeit mit Worten
zu säumen.» («Die Pein der Ehrlichkeit», *Christ und Welt*, 20. 10. 1960,
S. 20)

Georg Hensel über *Das Einhorn:* «Das Einhorn ist kein Buch ‹bloßer Mit-
teilung›, kein Roman für Handlungsschlucker – obwohl diese hier sehr viel
kurzweiliger als durch *Halbzeit* bedient werden –, sondern für Sprachleser,
Stilgenießer, linguistische Nachturner. Man müßte so gut schreiben können
wie Martin Walser, um beschreiben zu können, wie gut er schreiben kann.
Fragen Sie mich nur nicht, ob er außerdem noch etwas will, Unterhalten,
Belehren, Weltverändern oder so, ich weiß es nicht.» («Öppis Gnaus über
Liebe», *Darmstädter Echo*, 2. 9. 1966)

Paul Hübner über *Das Einhorn:* «Aber trotz Verwendung vieler wissenschaftlicher Vokabeln für die Gebiete von Sex und Bewußtsein, so daß das Buch auf weiten Strecken zu einem komplizierten Wörterbuch wird, drängt sich als Haupteinwand gegen den Roman auf, daß er trotz dieser nun schon ziemlich ausgeleierten Pseudomodernität an Kulturkritik nicht die gesamte technische Welt unserer Wirklichkeit in den Griff nimmt. Walser hat das Wissen dazu. Er hat sich aber in das Monologisieren nach Joyce verrannt und bietet experimentierende Prosa in Versuchen, an denen Arno Schmidt letztlich gescheitert ist, statt epischer Schilderung unserer Gegenwart.» («Martin Walsers Bett-Monolog», *Rheinische Post,* 3. 9. 1966)

Paul Hühnerfeld über *Ehen in Philippsburg:* «So wenig ich mit Walser bei der Beurteilung unserer Gesellschaft übereinstimme, so sehr ich vermute, daß es selbst in Philippsburg viele Ehen gibt, die in Ordnung sind, so sehr ich einzelnes als nicht geglückt empfinde: im ganzen ist dieses Buch eine erstaunliche, eine überraschende Talentprobe. Walser greift hinein ins Leben, beobachtet scharf, ordnet das Beobachtete und – kann schreiben. So ist endlich einmal ein spannendes Buch entstanden, das man nicht aus der Hand legt, einfach weil man wissen will, wie es den Menschen, die der Autor uns vorstellt, weiter ergeht.» («Männer, Frauen und Geliebte», *Die Zeit,* 19. 12. 1957)

Urs Jenny über *Lügengeschichten:* «Walsers Geschichten wachsen wie wunderliche Bäume, treiben immer neue Zweige, und er ist viel zu sehr in seine Schöpfungen verliebt, um sie nachträglich mit der Heckenschere zurechtzustutzen. Zu ihrem Vorteil übrigens, denn die bloßen Fabeln sind selten überzeugend und tragfähig; manchmal brechen die dünnen Stämme dieser Geschichten fast zusammen unter dem üppigen Blattwerk, aber nur dieses macht sie lebendig. Daß Walser ein brillanter Schreiber, ein Feinschmecker ist, der die Worte auf der Zunge kostet, weiß man; doch jene beneidenswert vollkommenen Formulierungen, die ihm immer wieder glücken, jene Miniaturen, die in drei, vier Sätzen eine Situation, eine Beziehung blitzartig durchleuchten, sind mehr als Sprachkunststücke; sie verraten eine überscharfe, überempfindliche Wahrnehmungsfähigkeit.» («Schwierigkeiten beim Erlügen der Wahrheit», *Süddeutsche Zeitung,* 3./4. 10. 1964)

Urs Jenny über *Das Einhorn:* «*Das Einhorn* ist ein witzig ironisches und glaubhaft pathetisches Buch über die Liebe. Wie soll man diesem Einhorn, das sich nicht fangen läßt, zu Leibe rücken? Es wäre nicht schlecht, erst einmal die Sprache zu rühmen, diese vielgerühmte Suada, die nichts Schäumendes hat, auch wo sie von sich selbst mitgerissen wird, sondern stets von Erfahrung genährt ist: Walsers in seiner Generation einzigartige Brillanz.» («Das Einhorn», *Weltwoche,* 14. 10. 1966)

Gottfried Just über *Das Einhorn:* «In der Entwicklung des Schriftstellers Martin Walser bedeutet *Das Einhorn,* daß der Autor nach dem autobiographischen Entwicklungsroman *Ehen in Philippsburg* ... und nach *Halbzeit,* der Antikonzeption eines Erziehungsromans, die Kategorie der Erfahrung wieder mutig und neu formuliert. Kristlein zeigt politische Verantwortlichkeit und ist zugleich in seinem Leben wieder so ausschließlich geworden, ein Schicksal zu haben, dessen Inhalte – seit Orli – nicht mehr beliebig austauschbar sind. Intellektuell-moralisch impliziert diese Situation ein Bewußtsein der Zukunft, weil sie sich gegen den bestehenden Zustand der Gleichgültigkeit wendet ...» («Das Einhorn von Martin Walser», *Bayrischer Rundfunk,* 1. 9. 1966)

Joachim Kaiser über *Das Einhorn:* «Während Walser in seiner Sprache sich verstrickt, fördert er freilich mehr Prosa-Virtuosität zu Tage als jeder andere. Sein Wortschatz ist atemberaubend, für jeden Schreibenden ein Gegenstand des Neides, Anlaß zu reiner Resignation. Aber er schreibt auch Schweizerdeutsch, das man laut lesen muß, mittelhochdeutsch, ein paar Fremdsprachen; mischt, fabuliert, wird vollends unverständlich, erbarmt sich wieder. Er übertreibt mit dem Bewußtsein zu übertreiben, weil es eine geheime Übereinkunft zwischen dem Autor und dem Lesenden gibt, daß schöne, phantasievolle Übertreibung erlaubt sei.» («Anselms Einhorn – Walsers Rausch», *Süddeutsche Zeitung,* 3./4. 9. 1966)

Joachim Kaiser über *Fiction:* «Die interessantesten Passagen dieses nach Unverbindlichkeit dürstenden und darum gar nicht gelingen könnenden ... Büchleins sind die, die logisch unverständlich erscheinen ... Walser setzt immer wieder neu an, berauscht sich immer wieder neu, probiert immer wieder neue Selbst-Enthemmung wie unter Drogen, weil es dem würdigen Kunstbedeutungs-Ausspruch einer notwendig also auch irgendwie bedeutenden Fabel entrinnen will. Er fällt sich ins Wort, er möchte die Selbstbewegung der Sprache, das reine Sprachmaterial ohne dessen verfluchte, bewußtseinsmanipulierende Implikationen ausgraben, vorführen ... Man muß sagen, daß passiert, was unvermeidlich scheint: wie auch Walser sich stellt, umstellt, anstellt – bestimmte Einzelheiten, bestimmte Vokabeln streben, von seinem Rhythmus und seiner Individualität gehalten, zueinander, werden Halbgeschichten mit Halbbedeutungen.» («Martin Walser fällt sich ins Wort», *Süddeutsche Zeitung,* 19. 3. 1970)

Kurt Klugkist über *Ehen in Philippsburg:* «Sicherlich ist Martin Walser eine Begabung. Dieser Roman jedoch wirkt wie der Erstling eines talentierten, revolutionären, der Väterwelt feindlich gesonnenen Oberprimaners.» («Mit den Augen des Hasses», *Lübecker Nachrichten,* 10. 11. 1957)

Otto Königsberger über *Das Einhorn:* «So läuft, grob, der Faden durch die Labyrinthe dieses Buches, grüne Labyrinthe, auch Wasserwohnungen, deren Darstellung manchmal an Georg Britting gelernt erscheint, durch neue Sprachmittel, Baumittel, unerhört bereichert. Ein gewaltiger Erinnerungs-Melker ist Martin Walser.» («Öppis Gnaus über die Liebe», *Ruhr-Nachrichten,* 1. 9. 1966)

Karl Korn über *Ehen in Philippsburg:* «Walser versteht sich aufs Erzählen im traditionellen Sinne. Die Porträts der recht zahlreichen Figuren, die zu führen sind, entstehen aus der gesellschaftlichen Aktion. Vieles mag irgendwelchen Wirklichkeiten etwas zu direkt nachgeschrieben und nur geschickt verschlüsselt sein. Im ganzen wird die Ebene des Spiels erreicht und gehalten. Ein kundiger Soziologe freilich vermöchte wesentliche Züge unserer Wirklichkeit am Modell Philippsburg abzulesen ... Im ganzen ist das Sprachmaterial treffend, nicht ohne Originalität, der Sache und Situation angepaßt. Der Autor ist kein Schreibtisch-Moderner. Er kennt sich im kommerziellen Jargon, Marke 1957, aus, ironisiert köstlich Kulturreden, versteht sich aufs Autofahren und die Verwandlung des zeitgenössischen Sensoriums durchs Autofahren, macht sich über händlerisches Mäzentum nicht minder lustig wie über den Kulturbetrieb, den er durchschaut. Aber Martin Walser, um dies zu wiederholen, attackiert nicht, sondern er trifft. Was könnte man Positiveres sagen.» («Satirischer Gesellschaftsroman», *Frankfurter Allgemeine Zeitung,* 5. 10. 1957)

Karl Heinz Kramberg über *Halbzeit:* «Walser manipuliert hier seinen relativ ‹dünnen› Stoff mit einer disziplinierten Geschicklichkeit, die schon beinahe etwa Meisterliches hat. Er arbeitet unter Kontrolle und verliert sich auch dort nicht, wo seine Prosa scheinbar einem technischen Leerlauf anheimfällt. Seine Diktion – geschult an vielen Vorbildern von Joyce bis Böll – modelliert die Substanz, seine Sprache bleibt seinen Motiven in wechselnden Formen und in wechselndem Gefälle gefügig. Er schreibt in surrealer und impressionistischer, in assoziativer und deskriptiver Manier. Aber immer mit Methode. Das macht: er kennt seine Grenzen.» («Halbzeit», *Das Schönste,* 9, 1960)

Ingrid Kreuzer über Martin Walser: «Es wird vielleicht nie eine eindeutige Auskunft über Walser geben können, weil sein Werk in sich zwiespältig ist, seine Positionen sich aus Widersprüchen zusammensetzen. Der ziellos schweifende Romancier ist ‹parlamentarisch› mit einem Martin Walser verkoppelt, dessen scharfer Intellekt, dessen knappe, zielbewußte Sprache seine Ansichten apodiktisch formuliert; dessen zugleich selbstbewußtes und verletzliches Künstlertum sich dennoch in der Kritik am Kritiker (als solchem) manifestiert; dessen Parteinahme gegen politisch-militärische Unterdrük-

kung an keinem ‹Kirchturm›, keiner Grenze haltmacht.» («Martin Walser»,
in: *Deutsche Literatur seit 1945*, Hrsg. Dietrich Weber, Stuttgart 1968,
S. 435–454)

Horst Krüger über *Fiction*: «Hier ist ein Autor, der in fünfzehn Jahren
trotz all seiner Schwierigkeiten mit der Romantechnik seinen Stil, seine
Sprache gefunden hatte, an sich selber irre geworden. Er zweifelt, er stockt;
er will gar kein ‹Buch› vorlegen, sondern eine Textprobe, die fragt: geht es
so, so vielleicht? Wir wohnen einem Experiment bei. Das Wort ist abscheu-
lich verbraucht, aber trifft genau, was hier geschieht. Einer versucht es noch
einmal, andersherum. Er serviert auf einem Tablett eine neue Art des Erzählens – oder ist es nicht doch die alte? Der Autor, der sich in den letzten
Jahren mehr mit der Edition von Straffälligen-Memoiren befaßt hatte,
turnt noch einmal am hohen Reck der Kunst ... Man spürt, hier wird hoch
gespielt. Das Büchlein aber mutet eher wunderlich an. Es schmeckt trotz
allen Sprachschwungs ein wenig nach Verzweiflung. Es ist wie ein Jung-
brunnen, der nicht verjüngt.» («Ein Autor in der Sackgasse», *Die Zeit*,
17. 4. 1970, S. 21)

Dieter Lattmann über *Fiction*: «Schon die ersten Sätze kommen schlanker
daher. Der Duktus ist auf Stakkato gestimmt. Essay- und Story-Elemente
sind ineinander vermengt. Vor allem aber hat der Autor von jeder vor-
geblichen Kontinuität einer Fabel abgesehen. Er will keinen Ablauf und
erst recht nichts Äußeres beschreiben, sondern Bewußtseinsmuster liefern:
Splitter von Eindrücken, Blitzlichter, Phantasiegespinste ... Das scheinbar
Zusammenhanglose besitzt einen raffinierten Zusammenhang. Das Eigen-
tümliche an diesem Buch ist, daß seine Sätze gleichsam körperlich vor den
Leser hinfallen ... Walsers *Fiction* kennzeichnet deutlich ein Durchgangs-
stadium. Wohin das führen wird, steht keinesfalls fest. Verlaß ist nur darauf, daß dieser Autor infiziert ist, angesteckt vom Einfallsreichtum des
Alles-ist-erlaubt. Schwankend zwischen Aggression und Hinneigung, im
Trubel des Absurden oder auch in der trickreichen Unterhaltsamkeit offenbart sich eine Intensität, die es vorläufig vorzieht, alle Formen zu sprengen.» («Für Sie gelesen – aus neuen Büchern», *Bayrischer Rundfunk*, 2. 3.
1970)

Rudolf Walter Leonhardt über *Das Einhorn*: «Es ließe sich Walsers *Einhorn*
verstehen als eine Herausforderung gegen Prousts Versuch, die verlorene
Zeit wiederzugewinnen in der Erinnerung: Traurige Art des Wiedergewin-
nens, mokiert sich Anselm Kristlein, denn Erinnerung ist Gehirnelektrik,
ist Zufall, ist – nichts. Es läßt sich Walsers Roman freilich auch viel an-
spruchsloser lesen als die Liebesgeschichte eines Mannes, der an Liebe nicht
glaubt. Was bleibt von Marie A.? Eine Wolke, sehr weiß und ungeheuer

oben ... Stella 1966! Die Erinnerung vermag, was seit dem Grafen von Gleichen nur wenige vermochten: zwei geliebte Frauen zu vereinen. Freilich um einen hohen Preis: den des Gewesenseins. Aber das, fürchte ich, wäre ein neues Thema, welches den Rahmen sprengen müßte – den Rahmen der Besprechung eines kühnen, aufrichtigen, rücksichtslosen, zerquälten, ebenso witzigen wie bitteren Romans.» («Liebe sucht eine neue Sprache», *Die Zeit*, 9. 9. 1966, S. 23 f.)

A. Matthijsse über *Fiction:* «*Fiction* is voor Martin Walser zelf ongetwijfeld een prettig werkje. Hij knutselt er naar hartelust op los, zoekt voortdurend naar nieuwe openingen, naar nieuwe mogelijkheden voor woorden en taal. Dat is aardig om kennis van te nemen. Meer niet.» («Op hol geslagen gedachten van Martin Walser», *Het Vaterland*, Den Haag 11. 4. 1970)

Eberhard Meckel über *Halbzeit:* «Es scheint geradezu erstaunlich, ja bewundernswert, wie im pointierten Schildern von Menschen, Situationen, Augenblickbeobachtungen Walser das Wort zu handhaben vermag. Niemand unter den heutigen deutschen Schriftstellern hat ein solches Prosa-Sprachvermögen wie er, der mit äußerster apercuhafter Prägnanz des Ausdrucks die Dinge, um die es ihm geht, aufspießt, anpackt, ausbreitet, ein zeitkritischer Ironiker, zugleich ein hoher Moralist, bei dem ein tiefes Leiden an der Gegenwart (vornehmlich der deutschen) fühlbar wird ... Überdies ist er ein Dichter; die zwei Seiten, die er über ‹September› schreibt, sind von starker poetischer und ganz zeitnaher Dichte. Wie er Stimmungen, Farben, Lokalkolorits, Menschliches in den Griff bekommt, läßt beinahe mit Sorge fragen: Wie schreibt der knapp über Dreißigjährige, der das Leben bereits kennt und durchschaut wie ein Fünfzigjähriger, wenn er einmal fünfzig ist.» («Ein umstrittener Autor», *Badische Zeitung*, 14. 3. 1961, S. 13)

Rolf Michaelis über *Lügengeschichten:* «Walser übersteigt jedoch manche seiner grotesken Einfälle so, daß er sie mit einem realistischen Stil der Darstellung nicht mehr einholen kann. So läuft ein Knick durch fast alle Erzählungen ... Rhetorischer Aufwand und klein-alltägliche Begebenheit stehen in diesem Buch im Mißverständnis. Stellt Walser nicht zu große Requisiten auf die Bühne, wo Typen einer kleinstädtischen, kleinbürgerlichen Welt vorgeführt werden? ... Martin Walser hat schon besser gelogen als in *Lügengeschichten*.» («Schlecht gelogen», *Frankfurter Allgemeine Zeitung*, 26. 9. 1964)

Rolf Michaelis über *Das Einhorn:* «Ein Wortgewaltiger aus Zweifel am Wort. Gerade weil der Roman, trotz guter Partien, so wenig geglückt ist und so fatal an das Serienprodukt einer pausenlos stanzenden Wortmaschine denken läßt, muß das Paradox als Ausdrucksqualität benannt werden. Es wäre zu einfach, die Verbalorgien des Buches nur als Maulhurerei, Gefallsucht, billige Provokation abzutun. Walser schiebt jedem Wort ein neues nach. Eins ersetzt das andere. Alles steht für alles, nichts für nichts. Das ist seine Gefahr, das die Schwäche des Buches und seiner Litaneien, Wortreihungen, Vokabelsammlungen.» («Die neuesten Nachrichten aus dem Bett», *Frankfurter Allgemeine Zeitung*, 3. 9. 1966)

Harry T. Moore über Martin Walser: «Walser is not saying anything new, but he is often trenchant, and he effectively satirizes advertising, the mechanical outlook, and the mistaken values of a materialistic time. He is sometimes compared to Sinclair Lewis, but Walser's shafts are cruelly sharper.» (*Twentieth-Century German Literature*, New York, London 1967, S. 117)

Josef Mühlberger über *Ehen in Philippsburg:* «Unsaubere Verhältnisse gibt es überall und gab es immer – Martin Walser wird geradezu zum Wünschelrutengänger nach ihnen. Daß er mit sicherem Behagen in dem Schlamm wühlt, das macht den Jammer des Buches aus. Wie und was Walser schreibt, das und so reden ein paar lüsterne oder schlampige Weiber in der Traubergstraße in Philippsburg. Dem Buche fehlen jegliche Gegengewichte, abgesehen davon, daß der, der Schmutz liebt und sucht, ihn immer findet, und daß das, was auch anders gesehen werden kann, nur schmutzig gesehen wird. Das Buch bleibt im Sumpf, den es zu bekämpfen vorgibt, stecken, der Richter klagt sich selber an. Es ist unmoralisch.» («Am Schlüsselloch zu allen Türen», *Eßlinger Zeitung*, 6. 12. 1957)

Uwe Nettelbeck über *Das Einhorn:* «Walser bombardiert Sachverhalte nicht nur deshalb mit Wörtern, weil diese ihm unentwegt einfallen, sondern wohl vor allem, weil er hofft, auf diese Weise die Sachverhalte dann doch zu treffen, weil er Genauigkeit herstellen möchte: Es ist sein Redefluß letzten Endes nur ein Versuch, alle Risiken des Schreibens, auch das der Ungenauigkeit, auszuschalten, die er sieht und über die er Kristlein eine Etage tiefer räsonnieren läßt. Er verwandelt seine Erfahrungen in Wörter, die er aneinanderreiht, um seine Erfahrungen, auf die er sich verlassen will, dingfest zu machen, weil er herausfinden möchte, auf welche Art des Schreibens Verlaß ist.» («Meinetwegen ist das schlecht, aber ...», *Die Zeit*, 16. 9. 1966, S. 25 f.)

Die *Neue Osnabrücker Zeitung* über *Fiction:* «Was in Walsers Romanen erst begonnen wurde, wird in diesem Text zur ausschließlichen Praxis: die Darstellung von Bewußtseinshandlungen, nicht von imitierten Aktionen. Schmerzerlebnisse in der physischen und politischen Umwelt sind nur Vordergrund, körperliche Anlässe. Das Niederschreiben der vorgestellten Handlungen entschädigt sich für die zugefügten Erfahrungen.» («Martin Walser: Fiction», 25. 3. 1970)

New Statesman über *Ehen in Philippsburg:* «Every scene is taken at the correct angle, every sense is alerted, and we feel we are in the hands of a master. But the imaginative treat we expect is denied us ... Walser reports: he cannot devise a story. He virtually confesses himself beaten by his material by writing, not a novel, but four loosely linked novellas in each of which the action is slight, and overbalanced by portraiture ... Imaginatively fused, all this might have added up to something more powerful; but Herr Walser has chosen the easy way out. His novel is nevertheless unusually intelligent and can be warmly recommended, if only as a sample of young German anger.» («New Novels», 27. 2. 1960, S. 306)

Jost Nolte über *Das Einhorn:* «Nun ja, Walser ist redselig. Er ist redebesessen. Er kennt, sagt er, keine Nebenfiguren. Er kennt auch keine Nebenszenen und kein Nebenthema. Seine Erzählwut entzündet sich irgendwo, flammt auf, bricht aus, und niemand weiß, wo sie endet. Aber ist das – wie ein Saalhüter des Literaturbetriebs behauptet hat – verantwortungslos?» («Walsers Maß bleibt das köstliche Unmaß», *Die Welt*, 1. 9. 1966)

Jost Nolte über *Fiction:* «*Fiction* als Beweis gegen Fiktion? Gewiß ist es so gemeint. Aber was beweist Walsers Antiprosa wirklich? Daß sich literarische Reize wahllos herstellen lassen, wenn dem Hersteller nur genug einfällt? Das auf jeden Fall, aber wer hat noch daran gezweifelt? Nein, Walser muß mehr ins Treffen führen, wenn er der Literatur nicht nur für seinen Teil abschwören, sondern sie ein für allemal ad absurdum führen will. Schlechte Literatur, und sei sie noch so absichtlich zusammengebraut, ist kein Beweis gegen Literatur überhaupt. Walser steckt abermals in der Sackgasse. Warten wir auf seinen nächsten Trick.» («Kampfspiele gegen die Fiktion», *Die Welt*, 19. 3. 1970)

Günter Oliass über *Ehen in Philippsburg:* «Hätte der Roman ‹die Schwierigkeiten des Zusammenlebens› in der dissonanten Welt von heute geschildert, wäre er nämlich keineswegs das so scharf die bundesbürgerlichen Salons ausleuchtende Komödienbuch geworden. Was Walser mit brillanten wie bösen Sätzen porträtiert, ist die allzu gekonnte, allzu unbedenkliche *Leichtigkeit* des Zusammenlebens, das in Reden und Gesten versiert Aufeinander-Abstimmen, das gemeinschaftliche Zwecklügen aller, die Erfolg hatten und haben ...» («Ein Buch und eine Meinung», *Süddeutscher Rundfunk*, 2. 1. 1958)

Periscoop über *Das Einhorn:* «Hoe verdeeld en meningsverschillend de kritiek omtrent deze roman ook moge geweest zijn, feit is dat Walser een adembenemende woordenschat bezit, een schitterende stijl heeft en een sprankelende fantasie.» («Martin Walser, Das Einhorn», Januar 1970)

Heinz Plavius über *Das Einhorn:* «Wie schon in *Halbzeit* strebt der Autor auch im *Einhorn* eine Totalität an. In *Halbzeit* breitet Kristlein auf rund 900 Seiten seine Erfahrungen und Beobachtungen aus, die zwar auch viele kritische Elemente enthalten, deren Konturen aber von der kleinbürgerlichen Weltsicht wie im Dämmerlicht verwischt erscheinen. Kristlein ist dort Medium der Erfahrung, er registriert – Gutes gut und Böses böse. Im *Einhorn* ist der Held auf der Suche, er wird aktiv, ohne sich schon von allen Beschränkungen befreien zu können. Er sucht etwas, das aber setzt ein Ziel, eine Konzeption voraus. Die wichtigste Bedingung hierfür ist die Befreiung von den einengenden Fesseln der Kleinbürgerlichkeit. Im *Einhorn* unternimmt Walser für sich und für die westdeutsche Literatur wichtige Schritte, um von der ‹schicksalhaften› Fixierung auf den Kleinbürger und Philister loszukommen. Er markiert die Blickrichtung nach links von jener Wegscheide aus, an der Grass nach rechts abgebogen ist.» («Kritik, die am Bettuch nagt», *Neue deutsche Literatur*, XV, 1 [1967], S. 142–154)

Charles Poore über *Ehen in Philippsburg:* «It is written in a tone of melancholy anger rather than in the boisterous satire of Sinclair Lewis' galvanic prose. That attitude may be a part of war guilt. At any rate, it casts a somber pall on Mr. Walser's novel. It is not a lively book. But it is worth reading as an unusual view of the Germans who – unlike those in the Soviet sector – are being given a new chance at freedom.» («Books of the Times», *New York Times*, 6. 7. 1967, S. 27)

R. G. G. Price über *Ehen in Philippsburg:* «[Ehen in Philippsburg] struck me as lacking freshness and distinction and even ability to retain the attention ... The writing is wordy, coy and slow, desperately slow. I wonder what the Hermann-Hesse Prize can be awarded *for?*» («New Novels», *Punch*, 2. 3. 1960, S. 335)

Marcel Reich-Ranicki über *Halbzeit:* «In der *Halbzeit* gibt es kaum Handlungen und Gestalten, Episoden und Situationen. In diesem Buch gibt es nur eins: Nuancen. Es ist ein Mammutroman aus Winzigkeiten, ein gigantischer Mikrokosmos ... Die endlosen Wortkaskaden, die sehr oft auf bewundernswerte akustische Reizbarkeit schließen lassen, sind zugleich Kabinettstücke der gedanklichen Sensibilität. Aber Walser geht mit der Sprache verschwenderisch, vielleicht sogar hier und da verantwortungslos um. Anselm Kristlein ist der geschwätzigste Held der Gegenwartsliteratur ... Betört von der Fülle der Welt, ist dieser Schriftsteller ... im Grunde ein Apologet des Daseins, der sich als Skeptiker tarnt. Seine Verdrossenheit entspringt der Lebensbejahung, hinter seiner Verbitterung verbirgt sich die gedämpfte Hoffnung. Ein Provokateur, gewiß, doch ein schmunzelnder, ein häuslicher Provokateur, ein herzlicher Spötter, ein jovialer Aggressor, ein warmherziger Ironiker, ein wackerer und beredter, doch kein lauter Ankläger, nicht ein unerbittlicher, sondern ein mild-nachsichtiger Moralist.» («Der wackere Provokateur Martin Walser», in: *Deutsche Literatur in West und Ost*, München 1963, S. 200–215)

Marcel Reich-Ranicki über *Lügengeschichten:* «Ob nun pseudopoetisches Märchen oder realistische Zeitkritik oder surrealistische Parabel – es bleibt stets der Eindruck mühseliger Erfindung. Von der psychologischen Finesse, der stilistischen Biegsamkeit, der minuziösen Beobachtung, der Intelligenz der Reflektionen und der realistischen Kleinmalerei, durch die sich die *Ehen in Philippsburg* und die *Halbzeit* auszeichneten, ist in den *Lügengeschichten* nicht einmal die Spur vorhanden.» («Anzeichen einer tiefen Unsicherheit», *Die Zeit*, 18. 9. 1964)

Marcel Reich-Ranicki über *Das Einhorn:* «Mit einer amorphen epischen Masse haben wir es hier, im Unterschied zur *Halbzeit*, nicht mehr zu tun. Aber trotz seines Skelettes ist *Das Einhorn* – so widersinnig es auch klingen mag – doch ein gallertartiges Gebilde. Und die übersichtliche Struktur kann nicht verhindern, daß das Ganze zerfällt – wenn auch auf andere Weise als die *Halbzeit*. Zerbröckelte diese in eine Fülle von Winzigkeiten, so löst sich der neue Roman eher in einzelne Bestandteile auf und nicht nur in Episoden und Szenen, sondern auch und vor allem in Glossen und Feuilletons, in Parodien und kulturkritische Kommentare, in Skizzen, Aphorismen und Impressionen. Diese nichtepischen Einschübe ... scheinen mir die besten Abschnitte des Buches zu sein.» («Keine Wörter für Liebe», *Die Zeit*, 6. 9. 1966, S. 11)

Udo Reiter über *Fiction:* «Martin Walser – heute mit 43 Jahren zur mittleren deutschen Schriftstellergeneration gehörend – hat sich von der nachdrängenden Jugend inspirieren lassen. Die Experimente mit Sprache und Realität, wie sie besonders durch Handke bekannt wurden, haben auch Walser angesteckt. So verzichtet er in diesem Buch erstmals auf die durchgehende Fabel als Marschroute und läßt statt dessen das vielschichtige, von unterschiedlichen Einflüssen gesteuerte Bewußtsein eines epischen Ichs zum Mittelpunkt und einzigen Thema der fünf kurzen Kapitel werden.» («Martin Walser auf neuem epischen Gelände», *Schwäbische Zeitung*, 3. 4. 1970)

Helmut Salzinger über *Fiction:* «Martin Walser hat mit diesem Buch ein Leserverwirrspiel angerichtet, und genau das wird wohl auch seine Absicht gewesen sein. Es geht ihm um den Nachweis, daß es mit der Literatur am Ende ist, daß sie allenfalls noch Leserverwirrspiele zustande bringt, sprachliches Querfeldein, daß aber die Realität, das wirkliche Leben sozusagen, dem Schriftsteller immer wieder zwischen den Fingern durchrutscht. Was ihm festzuhalten und wiederzugeben gelingt, ist bestenfalls – Fiction. Das aber genügt dem Schriftsteller Martin Walser schon längst nicht mehr. Darum hat er sich mit diesem Buch auf eine denkerische Kreisbewegung eingelassen. Er ist von der These ausgegangen, daß es mit der Literatur nicht mehr gehe, hat dann etwas Literarisches gemacht, das nicht mehr geht, und siehe da: es geht nicht mehr.» («Was nicht geht, geht nicht», *Der Tagesspiegel*, 26. 4. 1970)

San Francisco Sunday Chronicle über *Ehen in Philippsburg*: «It is written in a somewhat heavy style with much attention given to non-essential details and pointless soul-searchings, but it does achieve a sort of somber unity and expresses the author's conviction that there is no room for integrity in a society craving economic success.» («A Prize-Winning Novel», 8. 10. 1961, S. 28)

Heinz Sauereßig über *Das Einhorn*: «Der Roman *Das Einhorn* ist ein Sprachwerk, das in der deutschen Sprache kaum Vergleiche findet und mit einer ungewöhnlichen Fülle neuen Wortmaterials überrascht. Hier ist nicht der artifizielle Notstand ausgebrochen, der nach Wörtern sucht und seine Hand auf Blech legt. Es ist ein Strom, ein Katarakt, der sich besonders in den Substantiven entlädt. Das Wortmaterial ist härter, die Sätze viel direkter als in *Halbzeit*.» («Das Einhorn», *Die Bücherkommentare 3*, 1966)

Franz Schonauer über *Ehen in Philippsburg*: «Literarisch hat Walsers Roman, vor allem in der Komposition, einige Mängel, so werden die einzelnen Erzählungen durch die Hauptfigur nur schwach zusammengehalten, als Zeitkritik verdient das Buch uneingeschränktes Lob.» («Bürgerliche Lebensläufe von heute», *Deutsche Zeitung*, 20. 11. 1957)

Franz Schonauer über *Halbzeit*: «Die Eigenart der Bilder und Vergleiche ... kann nicht darüber hinwegtäuschen, daß sie auf das Gemeinte und Darzustellende nicht zutreffen und ihre sprachliche Originalität nur scheinbar ist. Verdächtig ist außerdem der stilistische Aufwand, den Walser in seinem Roman treibt, der willkürlich, sachlich kaum zu rechtfertigende Wechsel von realistischer Beschreibung zu expressiver, satzzeichenloser Wortreihung, die Manipulation mit innerem Monolog und proustscher Erinnerung. Mit anderen Worten, dieses Durchprobieren mehrerer stilistischer Gangarten geschieht bewußt, und zwar mit dem Zweck, mittels solcher artistischer Variationen, das dünne, schmalbrüstige Thema des Romans zu überspielen.

Daß Walser sich und seine eigenen Mittel überfordert, zeigt sich vor allem daran, daß der Zeitkritiker dem Dichter häufig genug im Text ein Bein stellt. In dem Bedürfnis, der Erzählung eine geistige Dimension zu geben, versagt sich der Verfasser beispielsweise keinen witzigen Einfall, keine Sentenz, er arbeitet also fortwährend mit unepischen Mitteln.» («Das Buch der Woche», *Südwestfunk*, 27. 11. 1960)

Katrin Sello über *Das Einhorn:* «Der Vorwurf, daß Walsers sprachlicher Aufwand in keinem Verhältnis zum Vorgeführten steht, wird im Kontext einer Poetik des ironischen Erzählens hinfällig – man erinnere sich nur an Jean Pauls Definition des Humors. Gerade die ‹Unangemessenheit› der Herstellung ist ein legitimes und traditionelles Mittel aller großen Humoristen. Wenn etwa der Komponist Nacke Dominick Bruut als wahrer Super-Wagner die Faschings-Arena betritt, so ist das keine Dämonisierung oder Dramatisierung des engagierten Künstlers, dessen Attacken in politische Gefilde heute keinesfalls heroisch sind. Eben weil man weiß, daß Künstler heute keine Heroen sind, sich vielmehr an Verlegern und Intendanten reiben, wird hier die Fragwürdigkeit eines künstlerischen Selbstverständnisses sichtbar. Und schließlich erhält auch die spröde Liebesgeschichte mit der exotischen Orli ihre Glaubwürdigkeit erst durch den Kontrast. Christlein [sic!] schreibt auch hier mit der gewohnten Schnoddrigkeit, und gerade daß die Liebe in dieser Sprache nicht einzuholen ist, macht ihre Authentizität aus. Orli, die Einhorn-Bändigerin, wird zwar nicht plastisch, wohl aber die Betroffenheit Walsers.» («Martin Walser: Das Einhorn», *Neue deutsche Hefte*, XIV, 113 [1967], S. 127–134)

Karl Silex über *Ehen in Philippsburg:* «Sollte eine Gesellschaftssatire geschrieben werden, dann müßte es zunächst einmal eine Gesellschaft geben. Die Schwaben werden staunen, was da alles in ihrem Philippsburg hinter exklusiv verschlossenen Türen vor sich gehen soll. Man ‹kannte› dieses Milieu aus den Reportagen der Illustrierten. Aber mancher Blick hinter die Kulissen, den der Leser nun zu tun können meint, bleibt doch ein Blick von der Hintertreppe. Das ist schade, denn Talent hat Martin Walser ohne Zweifel. Er kann schildern und erzählen, er kann episodenhafte Schicksale dramatisieren, er kann die Problematik aufleuchten lassen, und wenn er die ihm mit dem Hesse-Preis bescheinigte Förderungswürdigkeit richtig versteht, könnte das nächste Buch ein bedeutender Roman werden.» («Versuch einer Gesellschaftssatire», *Die Bücherkommentare*, 20. 11. 1957)

Peter Spielberg über *Beschreibung einer Form:* «... Walser's study of Kafka's style is a valuable contribution, especially since he has – and this is remarkable – avoided the obvious but tempting danger of interpretation, that of finding the one and only, the true theme. He has kept himself

strictly to the task of explicating the form rather than the philosophy.»
(«Martin Walser: Beschreibung einer Form», *Books Abroad*, XXXVII, 2
[Frühjahr 1963], S. 176)

Jean Tailleur über *Das Einhorn:* «Le thème n'est pas nouveau, il n'en est
pas pour autant faux. Et ce qui me passionne dans ce livre, ni bon ni
mauvais, mais certainement pas médiocre, c'est l'authenticité de la recherche
de l'écrivain. La richesse du verbe ne doit pas faire illusion quand un
auteur, dont les *Essais* nous ont appris à apprécier la lucidité, se perd dans
les mots parce que de leur accumulation et de l'effect de choc ainsi produit,
il attend qu'ils expriment la vérité objective. Walser décrit sa bataille et
livre les résultats auxquels il est parvenu. Loin de tromper son lecteur,
il se garde de gommer l'outrance et le mauvais goût où le mènent parfois
sa connaissance et son emploi des techniques les plus diverses.» («Eros,
amour et best-seller», *Lettres françaises*, 31. 12. 1969, S. 2)

R. Hinton Thomas und Wilfried van der Will über *Halbzeit:* «In fact,
Halbzeit sets out to do no less than offer in narrative terms a model of
contemporary behaviour, and in Anselm's behavioural pattern is spelt out
the conduct of a man whom the environmental pressures of a pluralistic
society force into a chameleon-like existence ... This novel lays bare by
intimate observation the role-strategy of individuals in modern society
and treats emotions as behavioural poses manipulated by the individual
at will.» («Martin Walser», in: *The German Novel and the Affluent Society*,
Manchester 1968, S. 86–111)

Times Literary Supplement über *Ehen in Philippsburg:* «... there is a Teu-
tonic heaviness about the narrative which is surely ill-suited to the subject.» («Breaking-point and Beyond», 4. 3. 1960, S. 149)

Times Literary Supplement über *Halbzeit:* «Herr Martin Walser in *Halbzeit* has written nearly 900 pages of notes on life under a magnifying
glass; a minute examination of the simplest external objects and actions
and a blow-by-blow introspective commentary leave the reader still gropen
for the shape of his novel ...» («Theme and Variation», 28. 4. 1961, S. VI)

Times Literary Supplement über *Das Einhorn:* «The unicorn of the title is
symbolic not only of the erotically questing male, but also of the out-
sider – among other things. Kristlein's exploration of love is organically
related to his social status and his ambitions as a writer. Since he is at
once writing a book and presenting the raw material for the book, another
principal theme is the discrepance between truth and fiction, experience
and memory. It is this discrepance that defeats Kristlein, but gives Herr

Walser ample scope for a critique both of love and fiction.» («Varieties of Love», 8. 9. 1966, S. 800)

Olaf Uhlenhorst über *Halbzeit:* «Es gibt gewiß keinen anderen Roman in der zeitgenössischen deutschen Literatur, der das Klima der Jahrhundert-Halbzeit in unserem Land, seinen Jargon, seine Gemeinplätze, seine Stagnation und seine nicht recht überzeugende ‹Jahrhundertmitten-Fröhlichkeit› treffender dargestellt hat.» («Die Ehen von Philippsburg – drei Jahre später», *Deutsche Zeitung und Wirtschaftszeitung,* 21. 1. 1961)

Werner Vetter über *Das Einhorn:* «Ganz ohne Zweifel hat Walser mit diesem neuen Roman sein bedeutendstes Buch geschrieben, aber ein Buch, das als Experiment stehen bleibt und trotz aller Artistik nicht zu einem geschlossenen Ganzen wird. Dazu ist das Buch zu sehr überfrachtet, mit zuviel verschiedenartigem Wollen belastet. Es bleibt eine offene Frage, ob Walser jemals aus der reinen Reflexion über die Gestalt zur Gestalt zurückfindet.» («Anselm Kristleins Kampf mit den Wörtern», *Badische Zeitung,* 1. 9. 1966)

Fritz Vogelsang über *Das Einhorn:* «Kristlein aber, der Vertreter und Werbetexter, der reisende Diskussionsredner und erotische Lohnskribent, den Walser mit allen Attributen modischer Gewitztheit ausgestattet hat, ist der Prototyp des landläufigen Intellektualschwätzers, der allerorten die Logen besetzt. Wenn er gelegentlich die Vergeblichkeit seines Zungen- und Tintenaufwands erkennt, empfindet man dies als flüchtigen Segen. Der Effekt ist weder tragisch noch komisch. Zum einen fehlt der Ernst von Kristleins Versuch, zum andern die Entschiedenheit von Walsers Intention.» («Das vollkommene Alibi», *Stuttgarter Zeitung,* 3. 9. 1966, S. 76)

Heinrich Vormweg über *Das Einhorn:* «Walsers praktische Konsequenz ist, daß er unablässig Schreibweisen zitiert, sie nimmt wie Mosaiksteine und sie damit nimmt wie etwas Totes. Die durch seine Parodien Betroffenen können sich kaum betroffen fühlen, denn es ist allzu deutlich, daß Walser sich mit seinem Zitierzwang nur selbst umbringt. Er kommt gleichsam vor Zitaten nicht mehr zur Sache; und nicht etwa, weil Wörter mit Sachen nichts mehr zu tun hätten. Hartnäckig strapaziert er Sprache und Wörter gegen den Strich. Er sieht, angeekelt, die Sprache in ihrem millionenfachen Funktionieren, und sie kommt ihm wie etwas Gebrauchtes, Verbrauchtes, Mißbrauchtes vor. Diese Vorstellung aber beruht auf eben jenem banalen Irrtum, der auch eine bestimmte Kulturkritik kennzeichnet. Walser gibt zwar vor, die diplomatischen Beziehungen zum Heiligen Geist abgebrochen zu haben und blind geworden zu sein für das Griechische Aberglauben-Museum, aber *Das Einhorn* ist ein einziges Dokument des Jammers darüber.» («Martin Walser oder Die wortgewaltige Sprachlosigkeit», in: *Die Wörter und die Welt*, Neuwied und Berlin 1968, S. 92–97)

Dieter Wellershoff über *Heimatkunde:* «Bei aller Schärfe im einzelnen verraten sie [Walsers Aufsätze und Reden] Unsicherheit, ein von gegensätzlichen Forderungen irritiertes Gewissen und eine entsprechende Zusammenhanglosigkeit des Denkens.» («Der Schriftsteller und die Öffentlichkeit», *Frankfurter Allgemeine Zeitung*, 12. 11. 1968)

Werner Welzig über Martin Walser: «Die Beschränkung auf das Detail darf als künstlerisches Prinzip seines Erzählens verstanden werden. Die Grenze, die Walsers bisherige Romane nicht überschritten haben, liegt eher in der Tatsache, daß sich seine Kritik an einer Gesellschaft, die ihr Leben auf Werte aufbaut, die suspekt geworden sind, weitgehend in Persiflage erschöpft.» («Martin Walser», in: *Der deutsche Roman im 20. Jahrhundert*, Stuttgart 1967, S. 251–253)

Wolfgang Werth über *Das Einhorn:* «Trotzdem ist dieses Buch gescheitert und zwar auf eine so fatale Weise, daß alle Künste des Autors nicht ausreichen, den irreparablen Bruch im Gefüge auch nur zu kitten. Wenn man sich nur über einige etwas verkrampfte Episoden-Verknüpfungen, über ein paar pure Albereien und die oder jene allzu wabbelige Aufschwemmung zu beklagen hätte – es würde noch angehen. Aber die Sache ist viel schlimmer: diesmal hat sich Anselm Kristlein an seinem Autor gerächt. Er will sich mit dem höheren Grad der Selbständigkeit nicht zufrieden geben. Er verlangt, als fiktive Person ganz und gar für voll genommen zu werden. Durch seine Unbotmäßigkeit verrät er den Kunstgriff, der ihn in der *Halbzeit* niederhielt, im *Einhorn* als unerlaubte Anmaßung seines Erfinders. Im letzten Buchdrittel gibt Anselm zu erkennen, daß er all das, was er bisher angeblich erzählt hat, gar nicht erzählt haben kann. Er ist in eine Situation geraten, die es ihm ‹verunmöglicht›, aus der Perspektive zu berichten, die Walser ihm oktroyiert hatte: da er angeblich schon zu Beginn des Berichts unter der Einwirkung des bereits Geschehenen steht, kann er es nicht so reflektieren, wie es geschieht.» («Die zweite Anselmiade», *Der Monat*, XVIII, 216 [Sept. 1966], S. 81–87)

Wolfgang Werth über *Fiction: «Fiction* ist Ausdruck Walserscher Resignation – geschrieben allerdings mit dem Ziel, deren objektive Ursachen anzudeuten. Denn natürlich will der Autor seine Zwangsvorstellungen nicht als private Alpträume mißverstanden und abgetan sehen. Gezeigt werden soll, wohin man kommt, wenn man sich darauf einläßt, Erfahrungen in einer ihre Fiktivität als Realität ausgebenden Gesellschaft zu sammeln ... Walser hat ja recht, und es besteht kein Grund, die Echtheit seiner Verzweiflung anzuzweifeln. Aber so wie sie sich ausdrückt, klingt sie leider nur wie ein modischer Seufzer.» («Schwierigkeiten mit dem Ich», *Der Monat*, XXII, 258 [März 1970], S. 106–109)

Roland H. Wiegenstein über *Ehen in Philippsburg*: «Die Moral dieser Geschicht ist pure Passivität. Gerade wenn man die Empörung Walsers gegen die gefährliche Leere der von ihm fixierten Gesellschaft und gegen ihre Modellfunktion teilt, grämt man sich hinterher über ein Verfahren, das den Leser zum ohnmächtigen Zeugen einer schlechten Komödie macht. Ein Moralstück, daß [sic!] nur Todsünden sieht, wird auf die Dauer so langweilig, wie nur die Hölle es sein darf, nicht aber ein Stück Literatur. Walser hat mit jansenistischer Prüderie sein Buch so fest im Griff gehalten, daß es daran beinah erstickt.» («Gerichtstag über feine Leute», *Frankfurter Hefte*, 5, 1958)

Theodor Wieser über *Halbzeit*: «Wie Gogol unternimmt auch Walser, und zwar mit Anselm Kristlein, unserem Zeitgenossen, eine Reise zu toten Seelen. Aber zu viele Einfälle, Einzelbeobachtungen und beiläufige Assoziationen scheinen unterwegs auf den Autor einzuströmen; er vermag den eindringenden und durchdringenden Blick in die Tiefe nicht zu wahren. So schwer das Werk Walsers mit Stoff befrachtet ist, es fehlen doch die Balken und Streben, um aus dem Ganzen ein spannungsreiches Gefüge zu machen.» («Zeitgenosse Anselm Kristlein», *Das Wort*, Januar 1961)

David Williams über *Ehen in Philippsburg*: «Buried somewhere in *The Gadarene Club's* vast paragraphs, each one as flat and featureless as the Gobi desert and just as exhausting to traverse, there is ample material for four novels ... Endlessly the interior monologues drone on, like loud speakers in windy terminal stations. With this novel Herr Walser won the Hermann-Hesse Prize in 1957. Perhaps it wasn't a very good year.» («New Novels», *Time and Tide*, 12. 3. 1960, S. 288)

VI

Der Dramatiker Martin Walser

Von Hellmuth Karasek

Als *Die Zimmerschlacht*, Martin Walsers (bisher) vorletztes Stück, im Jahre 1967 in München uraufgeführt wurde, wollte man in diesem «Übungsstück für ein Ehepaar» schon insofern ein Indiz für die Rückwendung der deutschsprachigen Dramatik zum «Privaten» sehen, als Walsers tragische Farce über das Zusammenleben zeitlich ungefähr zusammen mit Max Frischs *Biografie* herauskam – einem Stück, das anscheinend auch den Weg von der großen Politik zurück zur privaten Selbstreflexion über Freiheit und Möglichkeiten der Partnerwahl tat. Vorausgegangen waren in beiden Fällen politische Dramen – *Der schwarze Schwan* im Falle Walser, *Andorra* im Falle Frisch.

Nun ist aber dieser Schluß von der Wendung zum Privaten schon aus einem rein äußerlichen Grund falsch: das Konzept der *Zimmerschlacht* ist älter (oder zumindest gleich alt) als das Konzept des 1964 in Stuttgart uraufgeführten *Schwarzen Schwan*. Außerdem zeigt sich bei genauerer Betrachtung von Walsers Stücken, daß eine Trennung in «Privat» und «Politisch» genau den Zusammenhang aufheben würde, auf dem eigentlich alle seine Stücke insistieren. Es ist sicher kein Zufall, daß Walsers letztes Stück, *Ein Kinderspiel*, wieder ein «Familienstück» ist. Und es ist gleichzeitig das Stück, dessen Thema Walsers deutlichste Auseinandersetzung mit der Studenten- und Protestbewegung der letzten Jahre enthält.

Was wir in den letzten Jahren gelernt haben und was wir gerade an Walsers Stücken lernen konnten, ist die Unmöglichkeit der Trennung des Privaten vom Gesellschaftlichen. Walsers Stücke, die auf die Totalität eines verbogenen Bewußtseins zielen, fußen schon deshalb auf dem Schaffen Strindbergs, weil sie Psychopathologie als Teil der Soziopathologie nehmen, weil sie den allgemeinen Zustand im scheinbar Beiläufigen, scheinbar Privaten am deutlichsten gespiegelt sehen. Selbst da, wo Walser den Schritt in die große, umfassende

Parabel riskiert (wie etwa in *Überlebensgroß Herr Krott*), bleiben die einzelnen Merkmale, mit denen die Figuren charakterisiert werden, prononciert privat – als hätte Walser zeigen wollen, daß der Punkt, wo aus den großen Phrasen die kleinen Rechnungen werden, wo sich Zeitgeschichte in das verwandelt, was wirklich geschieht, der einzige für den Dramatiker relevante Punkt sei.

So steckt in den Dramen Walsers immer ein Vorgang entschiedener Aufgabe von Pathos: Schillers Reduktion des «Beschränkten auf ein Unendliches» wird zur Reduktion des «Unendlichen auf ein Beschränktes». Zugegeben, dies ist kein spezieller Zug von Walsers Dramatik, sondern einer der zeitgenössischen Dramatik überhaupt. Und wenn man in manchen Gestalten des Stückeschreibers Walser Schwejkhafte Züge entdecken will und kann, so hängt das sicher damit zusammen, daß das zeitgenössische Theater mit Brecht bei Hašek gelernt hat, ein Ereignis wie Serajewo am besten im Prager *Kelch* darzustellen – dort also, wo die «Idee» mit einem wirklichen «Interesse» zusammenstößt und sich (laut Marx) «blamiert».

Die Zimmerschlacht ist also weder thematisch noch formal ein Eskapismus, sie ist kein resignierender Schritt zurück in die schützenden vier Wände, sondern eine neue Variation des alten Walserschen Themas: die Schlachtfelder, auf denen unsere Erfahrungen besiegt und unsere Kräfte verschlissen werden, heißen seltener Cannae und öfter Krähwinkel. Titel und Untertitel des Stückes enthalten Walsers dramatisches Konzept in der Nußschale. Der Titel, indem er den Schwejkschen Kelch an die Stelle von Serajewo setzt. Der Untertitel, indem Drama nicht als Ort der großen, entscheidenden Veränderungen vorgeführt wird, sondern als Ort, wo sich Walsers Personal immer wieder auf seine «Rolle» einübt: in Walsers Stücken geschieht, daß nichts geschieht, wo etwas geschehen müßte. So wird das, was sich verfestigt und eigentlich doch nicht verfestigen dürfte, «eingeübt». Walsers Stücke führen vor, wie sich Menschen für die Gesellschaft, die sie verbogen hat, immer wieder neu präparieren. Diese Stücke sind resignierend, weil sie zeigen, wie Menschen durch «Übung» das Unerträgliche ertragen lernen. Sie setzen Befunde an die Stelle von Gebrauchs- oder Handlungsanleitungen.

Mehrere Kritiker haben auf den Stillstand in Walsers Dramen hingewiesen, ein Stillstand, der im *Krott* zum absoluten dramaturgischen Prinzip wird, zu einem Kreislauf, mit dem an die Figuren eines mittelalterlichen Glockenspiels erinnert wird, die sich bewegen, um

Bewegungslosigkeit zu verdeutlichen, die sich verändern, um das Unveränderbare zu unterstreichen. Die Kinder im *Kinderspiel* planen den Vatermord, den sie nie ausführen werden, obwohl sie seine Notwendigkeit einsehen. Der Ehemann in der *Zimmerschlacht*, der seine Frau nicht an dem Liebhaber rächt (wie er doch müßte), sondern mit ihm auf eine Sauftour geht. Krott, der so gerne sterben möchte und doch nicht sterben kann. Aloys, in *Eiche und Angora*, der sich ändern will in einer änderungswütigen Gesellschaft, und der nicht schnell genug ist, wenn es darum geht, in der Veränderung wieder das alte Unveränderliche herzustellen. Rudi schließlich, im *Schwarzen Schwan*, wie viele Walsersche Figuren auch eine theatralische Kunstfigur über das Theater, ist der fleischgewordene moralische Appell zur Veränderung. Rudi wird als pathetische und pathologische Ausnahme vorgeführt: eine solche Figur ist im Beharrungsvermögen der Gesellschaft nicht lebensfähig.

Klaus Pezold hat in seiner Dissertation über das «literarische Schaffen Martin Walsers» drei zentrale Motive des *Abstechers* herausgearbeitet, die drei Hauptmotive von Walsers Stücken überhaupt sind. Als erstes Motiv nennt Pezold das Problem der Ehe und die Beziehung zwischen Bindung und sexueller Freizügigkeit, als zweites das Verhalten der «Sozialpartner» zueinander, die verschleierte Herrschaft der einen und der Opportunismus der anderen. Als drittes Motiv führt Pezold die Tatsache an, daß *Der Abstecher* scheinbar auf eine unausweichliche Konfrontation angelegt sei («ein schrecklicher Ausgang scheint unvermeidlich zu sein»), der dann aber farcenhaft verbrüdernd ausgewichen würde.

Daß sich das verbrüdert, was sich eigentlich schon aus «angeborener Feindschaft» (Nestroy) nicht verbrüdern könnte und dürfte, daß das vermieden wird, was unvermeidlich scheint, ist nur eine neue Beschreibung der vorhin schon festgestellten Tatsache: Walser setzt sich immer wieder mit dem auseinander, was geändert werden müßte und gerade deshalb unverändert bleibt. Die drei von Pezold analysierten *Abstecher*-Motive sind in allen Stücken Walsers nachzuweisen. So wie Hubert im *Abstecher* von Erich dafür bestraft werden soll, was er an Frieda verbrochen hat, so wollen Felix und Frieda sich an einem Freund durch ihr Fernbleiben von seiner Party rächen, weil dieser «fahnenflüchtig» geworden ist und seine alternde Frau gegen ein junges Mädchen ausgetauscht hat. Selbst in Stücken wie *Der schwarze Schwan* und *Eiche und Angora*, in denen die Eheproblematik nicht im Mittelpunkt des Interesses liegt, kommen Ehefrauen als Opfer vor – auch hier sind es die Frauen, die die Rechnung für den gesellschaftlichen Frieden bezahlen.

In *Krott* wird dem Motiv des hilflosen Schwankens zwischen Treue und Untreue, viel deutlicher als in der *Zimmerschlacht*, durch die Aufdeckung der Schwäche eine entscheidende Verschärfung zugefügt. Walser führt vor, daß das, «was die Natur verlangt», schon längst nicht mehr von ihr verlangt wird. Die Schwäche, der Verlust an Natur, ist ein analytisch konstatiertes wie auch, in ironisch-sarkastischer Verbrämung, ein romantisch beklagtes Motiv bei Walser. Es gibt seinen Stücken zugleich ihren tragischen wie ihren farcenhaften Charakter. Schwäche wird von Walser als gesellschaftsbedingt und gesellschaftsbedingend gezeigt. Aloys, den die Gesellschaft «kastriert» hat, um ihn einzupassen, Gerold *(Kinderspiel)* und Krott, die «impotent» geworden und nur noch zu Ersatzhandlungen fähig sind: Walser hat solche Gestalten gewählt, um das Tun der Tatenlosen vorzuführen, deren Aufraffen am Schluß der Handlung zusammenfällt. Walsers Stücke sind ambivalent, weil sie dieses Verhalten sowohl verurteilen als auch verteidigen. Die Kläglichkeit der Figuren verlangt Sympathie und liefert ihnen gleichzeitig die unsympathische Tarnung, die ihre Beseitigung oder zumindest Veränderung verhindert. Aus diesem Grund fallen bei Walser keine Schüsse, obwohl immer wieder Revolver gezückt werden: die Personen sind zum «Weiterwursteln» verurteilt.

Im *Kinderspiel* wird dies besonders deutlich. Das Motiv der Schwäche ist hier gleichzeitig das Motiv, das nach Theatralisierung verlangt. Werner Mittenzwei schreibt in seinem Aufsatz über Walser («Zwischen Resignation und Auflehnung»), die dramatische Grundkonstellation in Walsers Stücken sei die tragikomische Konfrontation des entmannten, degenerierten Widersachers mit Vertretern der Macht. Das kann wortwörtlich so sein, wenn Strick oder Ludwig auf Krott treffen, oder wenn Aloys Grübel auf seine Gesangvereinsrechte zu pochen sucht. Das kann übertragen so sein, wenn die Söhne die Väter herauszufordern suchen wie Rudi im *Schwarzen Schwan* oder Asti im *Kinderspiel*, wo die Denaturierung und die Degeneration sich in seltsam inzestiösen Bindungen und im Ekel am Verhalten der Eltern offenbaren. Und es kann schließlich so übertragen sein wie im Benehmen Friedas gegenüber ihrem ehemaligen Freund Hubert.

Als Hubert, der sich jahrelang nicht um sie geschert hat, «mal eben» zu einem sentimentalen Abstecher zu ihr kommt, sagt Frieda: «Es ist was in mir, das rennt nach deiner Tasche, nach Mantel und Schirm und will einen Salto schlagen. Ich erfahre im Augenblick, ich beherberg' eine Analphabetin. Ein sehr dummes Luder. Ein sitzengebliebenes. Eins, das nichts dazulernen will. Wenn ich es nicht auf der Stelle abwürg, fällt es dir um den Hals. Aber ich bin auch noch da. Und das dumme Luder wird sich nach mir richten müssen. Denn ich bin nicht sitzengeblieben, damals. Ich bin durch deine Schule gegangen, Hubert, habe alle Prüfungen hinter mir. Ich nehm dir deine Sachen nicht ab. Ich sag nicht einmal, der Herr soll Platz nehmen. Ich geb nichts auf einen Herrn, der hereinschneit mitten im Juni, weil er denkt, die wird schon zuhause sein. Und wenn sie nicht da ist, auch kein Malheur. Dem Herrn fällt es nicht ein, sich etwa anzumelden. Ich könnte im Dienst sein. Oder mein Mann wäre da. Egal. Ja? Ihm egal! Also lassen wir's dabei. Ich bin nicht zuhause. Ich hab nicht aufgemacht.» (*Abstecher*, S. 15) Joachim Kaiser schreibt zu dieser Stelle: «Das liest sich großartig, obwohl man lange nachdenken müßte, um einen komplizierteren Auftritt zu ersinnen. Statt der Geste, die auf dem Theater wirkt, spricht die zur Unbeweglichkeit sich selbst verurteilende Schauspielerin eben von jener Verhaltensweise, die sie nicht zeigt, und sie erläutert zugleich, warum sie's nicht zeigt.» («Gerichtstag für Männer»)

Auch Friedas Auftritt zeigt die Konfrontation des entmannten Widersachers mit der Macht, von der die Mittenzwei spricht. In den Krott-Chören wird gesungen: «Gott ist ein Mann». Gleicherweise ist in den sexuellen Beziehungen, wie Walser sie darstellt, Macht und Degeneration letztlich das, was sie bestimmt. Wesentlicher aber ist: Walsers Figuren, zum Nichthandeln verurteilt, offenbaren ihre Schwäche, indem sie reden, was sie nicht handeln, indem sie besprechen, was sie nicht zu tun wagen. Zu ihrer Ohnmacht tritt die Einsicht in die Ohnmacht. Was in Walsers Stücken bleibt, bleibt wider die bessere Einsicht der Personen. Schlimmer noch: die bessere Einsicht entsteht nur deshalb, weil sie weiß, daß sich nichts ändert. In Krotts Selbstbeschuldigungen geht das so weit, daß er die besseren Einsichten nur hat, weil er weiß, daß sie ihm seine weitere Existenz garantieren.

Wenn wir also behaupten, daß Schwäche das Walsersche Motiv ist, das nach Theatralisierung verlangt, läßt sich mit Walsers Dramen sagen, die bessere Einsicht sei auch die Kunst, die entstehen kann,

weil sie am Bestehenden nichts verändert. In seinem Essay «Freiübungen» schreibt Walser über die heutige Funktion der Literatur:
«Stolz auf ihre Genießbarkeit, ist Literatur nicht mehr voraus. Oder
doch nur so wie die Galionsfigur dem Schiff. Als Galionsavantgarde
schmückt sie, was ihr nachfolgt. Sie dient der Bestätigung. Sie glaubt
vor allem an sich selbst. Ihr Publikum glaubt an sie und damit auch
an sich selbst. Diese Literatur bestätigt: alles ist gut, solange alles
beim alten bleibt. Dazu gehört der gewährte Spielraum, die genau
garantierte Narrenfreiheit, die kühn aufgemachten Sprachexpeditio-
nen in elegante oder attraktiv üble Sackgassen, das erwünschte
Quantum prickelnder Negation, der willkommene Anlaß zur Gänsehaut, die arg befriedigende Beschädigung eines Anstandsgefühls, von
dem man sich jetzt sowieso bald mal trennen möchte. Reibereien gibt
es nur noch mit Minderheiten, die in ihrer speziellen Rückständigkeit
allen anderen das Empfinden verschaffen, voraus zu sein.» (*Erfahrungen*, S. 95)

Im *Kinderspiel*, einem Stück in zwei Akten, spielen sich Kinder im
ersten Akt das Verhalten ihres Vaters vor. Sie wollen sich dabei klar
werden, daß dieser getötet werden muß, denn er ist für ihre Repres-
sionen und für ihre Verkorkstheit verantwortlich. Der zweite handelt
dann davon, wie der Vater den Mordplan in Spiel und Kunst verwandelt, wie er daraus einen Film gemacht haben möchte – am Ende
mündet dann alles in der vorhin zitierten «attraktiv üblen Sackgasse»
mit dem «erwünschten Quantum prickelnder Negation» und dem
«willkommenen Anlaß zur Gänsehaut». Der Vater meint dramatisch
verbessernd zu dem jetzt nur noch als Filmplot existenten Mordplan:
«Ich würde das Ganze sowieso nicht in einem Zimmer spielen lassen.
Ein Schuttablageplatz mit Ratten, Katzen, Würmern, Käfern, da laß
ihn liegen, im Müll und zeige, wie er gefressen wird, ganz konkret,
in langen, nicht enden wollenden Einstellungen ... Ich mache jede
Wette, das ist ein nachhaltigerer Schock als jeder Kannibalismus.
Kannibalismus ist sentimental. Das ist Robinson. Idylle. Kurzum
kulinarisch. Aber die Ratten, die dem Alten die Augen ausschmatzen,
Asti, das ist dein Film. Verstehst du? Verstehen wir uns da?!»
(S. 91 f.)

Abgesehen von der Parodie auf den zeitgenössischen Kannibalen-
Film (wie etwa auf Godards *Weekend*) oder auf zeitgenössische
Kannibalen-Stücke (zum Beispiel auf Edward Bonds *Early Morning*
oder Taboris *Kannibalen*) steckt in diesem Zitat auch die Einsicht,

daß die sogenannten Schocks der Kunst stets nur den Stillstand bestätigen, den Walser aufzeigt. *Ein Kinderspiel* spiegelt vor allem sich selbst, zeigt als Spiel, was ihm selbst zu widerfahren droht, und hat mit dieser selbstzitierenden Theatralisierung viel mit dem etwa gleichzeitig entstehenden Prosastück *Fiction* gemein und viel auch mit Godards späten Filmen, die die Ohnmacht der filmischen Selbstreflexion als eigene Ohnmacht vorführen. Daß das Ehepaar im *Abstecher* den Direktor Hubert nicht umbringt, sondern nur in eine Vorstellung des «absurden Theaters» zwängt, ist dem «Realisten» Walser von der Kritik als Liebäugeln mit den damals modischen Mitteln des absurden Theaters verübelt worden. Dabei ist dies in Wahrheit der erste Ansatz jener selbstkritischen Theatralisierung, die durch alle Stücke geht, auch dort, wo sie sich so verdeckt darstellt wie in *Eiche und Angora* oder in der *Zimmerschlacht*.

Die Nuancen verschärfen sich dabei von Stück zu Stück. In *Krott* ist es die Beschimpfung, jener allabendliche Akt, der das gesellschaftskritische Theater, wie es damals im Schwange war und wie es Walser in *Krott* selbst verfolgt, als dem Großbürger durchaus kommensurabel zeigt. Über Brecht schreibt Martin Walser: «Die *Courage* könnte man schließlich auf jeder ‹Villa Hügel› dieser Welt en suite spielen, und es würde sich nichts ändern.» Im *Krott* geht er noch einen Schritt weiter: nichts wird sich infolge dieses Stückes ändern, und der konsumierende Zuschauer, der doch zur Veränderung aufgefordert werden soll, wird zudem noch um etwas Kulinarisches gebracht – solche Stücke zementieren eher etwas als daß sie etwas veränderten. Krott sagt: «Schau die Sonne stolpert schon über die Gipfel. Es wird Zeit für die Beschimpfung. Elfchen, Mafalda, ein Abendgesicht, bitte. Seid aufgeschlossen und gebildet. Bringt den Augen das gewisse kluge Blitzen bei, wenn ein Wort fällt, das ihr besonders begreift. Unser Akteur steht schon ganz scharf. Der Vorhang hebt sich. Die Beschimpfung.» (S. 95)

Wenn *Krott* das Stück Walsers ist, das die größte Brecht-Nähe hat, wenn es also am stärksten zur Parabel tendiert, die die Verhältnisse der Welt beispielhaft wiedergeben will, dann auch deshalb, weil es mit der Theatralisierung seiner Problematik auch die Problematik seiner Theatralisierung offenbaren wollte. Dies scheint mir wichtiger zu sein als die Tatsache, daß man in dem Verhältnis zwischen Herr und Knecht (das sich durch viele Stücke Walsers zieht) verwandelte Puntila-Matti-Versionen erblicken kann und in Krott selbst eine

Weiterentwicklung der Figur des Mauler aus der *Heiligen Johanna der Schlachthöfe*. Denn wenn man die *Heilige Johanna* Brechts bemüht, weil ihr überlebensgroßer Mauler dem überlebensgroßen Krott Pate gestanden haben mag, so sollte man sich neben dieser Figurenähnlichkeit und neben dem Weiterdenken der Klassenauseinandersetzung bis zum Stillstand auch an den Zug von Brecht erinnern, der hehre Schillersche und Goethesche Verse für Aktienkurse und Börsenschlachten parodierte, um dadurch die Schizophrenie zwischen Alltag und verklärtem Kunstfeierabend bloßzustellen, für die Krott um das Abendgesicht bittet. Walser hat also am Schicksal der Dramen Brechts, die zur Klassik einmarmoriert wurden, mit parodierten Brechtschen Mitteln den Stillstand gezeichnet.

Wohl das war es, was den Marxisten Mittenzwei bewog, einen direkten Einfluß Brechts auf den *Krott* abzustreiten: «Man geht sicher nicht fehl in der Annahme, daß Krott – wenn vielleicht auch unbewußt – mit dem Blick auf Brechts Puntila und Mauler gestaltet wurde. Dennoch gibt es in Walsers Stück nichts, was wirklichen Brecht-Einfluß verriete. Gerade das Moment, worauf es Brecht ganz besonders ankam, nämlich die Darstellung der Veränderbarkeit aller Dinge, findet sich in Walsers Werk nicht.» («Zwischen Resignation und Auflehnung») Mittenzwei macht dafür auf einen anderen Verwandten und Vorläufer Krotts aufmerksam, auf Ivan Golls satirisches Drama *Methusalem*: «In beiden Werken geht es um einen hassenswerten Unsterblichen.» In der Tat sind die Untertitel beider Stücke frappant verwandt: das Walser-Stück heißt im Untertitel «Requiem für einen Unsterblichen», Methusalem wird im Untertitel «ewiger Bürger» apostrophiert. Sie haben Unsterblichkeit als System und sind nicht durch das Theater zu erschüttern.

Die paradoxe Einsicht, daß der Vater im *Kinderspiel* und Krott (als Figur) ihre Kritiker geradezu zur Verschärfung der Kritik ermuntern (wer schreibt, schießt nicht), bestimmt Walsers «Dennoch»-Resignation. In den «Freiübungen» heißt es dazu: «Unsere Literatur ist offenbar dem Bürgertum tiefer verbunden, als sie selbst weiß. Aber weil sie als Kampfmittel nicht mehr notwendig ist, dient sie jetzt zur Ausstattung. Dieses Schicksal teilt sie mit Städtemauern, humanitären Ideen, sakralem Mobilar. Verlangt wird: Tändeln mit Tabus; erlaubt: Tummeln im Kulturgehege.» (*Erfahrungen*, S. 96)

Für den *Schwarzen Schwan*, den Walser mit dem Essay «Hamlet als Autor» erläuternd begleitete, ist dies die Konstellation zwischen

Theater und Realität: Walser stellt sich vor, wie im Parkett die Leute den *Hamlet*, das Stück vom aufgedeckten Mord, applaudierend begleiten und dabei keineswegs dazu herausgefordert werden, sich an ihre eigene Schuld, an ihre Morde während der Nazizeit zu erinnern. So wird das Stück einmal ein Stück von der Verdrängungskraft, von der «Schwäche» der Erinnerung. Walser zeigt, daß Bewußtsein mit Schuld nicht leben kann, daß es also, weil es unverändert leben will, ein Ritual wohltuender Amnesien erfunden hat, während es die Erinnerung zu Feiertags-Gedenkminuten abgedrängt hat. Der Held Rudi ist ein Mensch, der diese Verabredung, diese stillschweigende Absprache nicht einhalten will. Das Stück führt vor, daß wirkliches gegenwärtiges Schuldbewußtsein tödlich wäre. Es führt damit auch vor, daß die «Bewältigung der Vergangenheit» mit Recht so genannt wird: sie verdient keinen besseren Namen. Zum andern demonstriert der *Schwarze Schwan*, wie Bewußtsein zur Theatralisierung führen und verkommen muß. Rudis moralische Empfindsamkeit, die zu einer dem Hamlet abgelauschten Wahnsinnsmaske führt, wird von seinem Vater ganz anders gedeutet. Er meint, Rudi renne herum und spiele eine fürchterliche «SS-Charge». Wer sich erregt, wird als dem Theater zugehörig betrachtet.

Und wiederum theatralisiert das Thema sich selbst. In einer (der Mausefallen-Szene aus dem *Hamlet* nachempfundenen) Szene läßt Rudi seinem Vater und dem Dr. Liberé von den Irren vorspielen, was jene beiden mit ihrer Schuld angefangen haben: sie haben sie als gut geölten Motor für das Wirtschaftswunder eingesetzt. Nur: im Unterschied zur «Mausefalle» im *Hamlet* bewirkt diese Szene gar nichts. Sie repetiert also die Erfahrung, die Walser mit Zuschauern machte, die – obwohl sie betroffen sein müßten – den aufgedeckten Mord im *Hamlet* ebenso überstehen wie die aufgedeckten Verbrechen im *Schwarzen Schwan*. Meinte Friedrich Luft deshalb in seiner Rezension der Uraufführung, Walser habe sich «weiter als je» vom Theater entfernt? Und wirken deshalb Stücke wie *Eiche und Angora* und *Die Zimmerschlacht* im theatralischen Sinne theaternäher, weil es scheinbar Stücke sind, die sich nicht bis zu ihrer Selbstaufhebung in Zweifel ziehen?

Sieht man genauer hin, handeln auch diese beiden Stücke (unter anderem) von der Theatralisierung durch das Theater. Und das ist im Falle von *Eiche und Angora* nicht nur so gemeint, daß hier Kunst schon insofern mitreflektiert wird, als es in den Bemühungen um

Aloys darum geht, in den Gesangverein einzutreten. Dieser Gesangverein, der alle Zeitläufe unbeschadet übersteht, kann schon aus
diesem Grund als Metapher für die Kunst genommen werden, die
unbeschädigt bleibt, weil sie auch nichts beschädigt. Und im Falle der
Zimmerschlacht ist es nicht nur so gemeint, daß hier die Ehe als
dauerndes gegenseitiges Theaterspielen der beiden Partner vorgeführt wird, weil dem Stücke zufolge nur Fiktionen die Ehe für beide
Teile erträglich machen – obwohl die Fiktionen gar nicht geglaubt
werden.

Über *Eiche und Angora* gibt es von Walser einen Aufsatz unter
dem Titel «Vom erwarteten Theater», der das theatralische Problem
dieses Stückes verdeutlicht und darüberhinaus die Schwierigkeiten
untersucht, die «Wirklichkeit» auf dem Theater abzubilden. Walser
schreibt: «Die Konflikte, die das Drama fundierten, die es hervor-
brachten, sind heute keine mehr. Die Wirklichkeit wimmelt nach wie
vor von Fabeln, aber das sind keine Dramenfabeln mehr. Die Anti-
nomien liegen nicht mehr auf der Straße. Die gesellschaftlichen Brutalitäten sind auf eine Weise verfeinert, daß das Drama bei deren
Abbildung zugrunde gehen muß. Also wird eine neue Abbildungs-
methode nötig. Das ist schon fast eine Epoche lang bekannt. Brecht
wich nach China und sonstwohin aus, um die Spannung zwischen
Moabit und Dahlem so recht zum Ausdruck zu bringen. Die lokale
Wirklichkeit war doch offenbar damals schon mit zuviel Zwischen-
tönen belastet, als daß sie zum einfach-demonstrativen Bild getaugt
hätte.» (*Erfahrungen*, S. 60)

Walser reagierte also in *Eiche und Angora* auf die «verfeinerten
gesellschaftlichen Brutalitäten», indem er sie einmal als Fortsetzung
der weniger feinen faschistischen Brutalitäten mit anderen Mitteln
schildert – schon deshalb, weil ja Geschichte noch immer von den
gleichen Leuten gemacht wurde. Er zeigt zudem diese Geschichte als
Lokalgeschichte. Schließlich (und das ist der wichtigste Punkt in diesem Stück) schildert er die Gegensätze nicht als dramatischen Konflikt, um nicht nach «China und sonstwohin» ausweichen zu müssen,
sondern er konstruiert für sein Stück den «Gegensatz der Übereins-
stimmung», den Konflikt der Konfliktlosigkeit durch übergroße Anpassung. So ist *Eiche und Angora* ein «Drama in Rückfällen», weil es
Bürger vorführt, die sich die jeweils verordnete Ideologie aneignen,
um ihre unzerstörbare Ideologie behalten zu können. Es ist ein Drama in Rückfällen, weil es einen Übereifrigen, der das ständige Opfer

abgibt (obwohl er radikal angepaßt wurde), als eine Mischung aus Schwejk und Matti, das jeweils «Richtige» im falschen Zeitpunkt äußern läßt. Der französische Kritiker Jean Jaques Gautier schreibt: «Nein, das ist nicht, wie man fälschlich gesagt hat, eine Chronik des Nazismus, sondern eine Analyse des nazistischen Lebensbereichs, eine Analyse der menschlichen Reaktionen auf eine Bewegung und die Verzerrungen politischer Ideologie.» («Chêne et lapins angora»)

Man sieht, von welcher Seite man Walsers Dramen auch immer angeht – auffällig bleibt die Konstatierung ihrer Passivität, auffällig bleibt, daß sie keine Änderungen vorführen, weil sie an keine Änderungen durch das Mittel des Theaters glauben.

Daß politische Unveränderbarkeiten auf privaten Unveränderbarkeiten nicht etwa nur beruhen, sondern daß sie zwei einander bedingende Erscheinungsformen ein und derselben Sache sind, wurde schon festgestellt. Auch Ehepartner sind Sozialpartner. *Die Zimmerschlacht*, im Untertitel höhnisch «Übungsstück für ein Ehepaar» genannt, handelt von der Verurteilung zweier Menschen zueinander. Und wer die Bezeichnung «Übungsstück» pädagogisch mißverstehen wollte, sollte aus dem im Stück zitierten Vergleich der Ehe mit einer Operation etwas lernen: «Zwei Chirurgen operieren einander andauernd. Ohne Narkose. Und lernen immer besser, was weh tut.» (S. 107) Hier haben wir das Motiv, das mit Albees ersten beiden Akten der *Virginia Woolf* etwas zu tun hat: die Bindung besteht ja auch da in der immer stärker zunehmenden Fähigkeit der Ehepartner, einander Schmerz zuzufügen. Die Verurteilung zueinander erfolgt für ein Delikt, das «Ehe» heißt und das Schuld und Strafe in einem darstellt – das Urteil lautet auf lebenslänglich. Der Erdkundelehrer, der da neidisch nach einem Freund schaut, weil sich dieser eine junge Frau «zugelegt» hat, führt mit seiner Gattin kein Ibsensches Programm für eine bessere Ehemoral, für eine bessere Ehegesetzgebung, für ein aufgeklärteres Schlafzimmer vor – mit ihm demonstriert Walser vielmehr, was Ehe wirklich ist. Kein moralisierender Reformator stürzt sich auf eine Institution, die er für verbesserungsfähig, für änderungswürdig hält; eher seziert Walser hier einen «Naturzustand», nämlich jenes kulturelle Kunststück, mit dem – um ein Zitat aus einem Interview des Autors aufzunehmen – die «Unersättlichkeit» des Menschen zur Sättigung gebracht werden soll.

Das Problem, dem Walser sein Ehepaar aussetzt, ist läppisch. Und es macht sicherlich eine Qualität des Autors aus, daß er für die Katastrophen seiner Personen kein großes Schicksal über sie verhängen muß, daß er keine schweren Konflikte zu konstruieren braucht, sondern für seine Befunde nur Lappalien benötigt – sogenannte Lappalien. Tugenden wie Tapferkeit, Größe, Mut, Ausdauer kommen dann scheinbar nicht vor. Aber Walser zeigt, daß es keiner *Nora*-Ausnahmesituationen bedarf, damit Menschen sich in ihnen bewähren oder an ihnen scheitern können. *Die Zimmerschlacht* zeigt, wieviel Heldenmut auf Alltäglichkeiten verschwendet werden muß. Schon der Titel drückt aus, daß die Schlachtfelder nicht nur da zu suchen sind, wo sie die großen Dramen gerne ansiedeln – daß ein häuslicher Abend, an dem buchstäblich nichts passiert, die gleiche Größe und Energie verbrauchen kann, wie sie sonst auf der Bühne nur einem flammenden Marquis Posa zugebilligt werden. Energien, die hier auf die verzweifelte Aufrechterhaltung des häuslichen Gleichgewichts gewendet werden: der Erdkundelehrer, der die Party seines Freundes sabotieren will, bekämpft mit seiner schäbig-kläglichen Intrige nur sich selbst. Wenn er die Freunde am Telefon konspirativ auffordert, Bennos Fest fernzubleiben, wenn er und seine Frau verzweifelt versuchen, einen Abend zu zweit zu verbringen, dann läßt Walser die beiden komisch-heroisch das Banner der Ehe hochhalten. Das Stück ist nirgends eine hochfahrende Satire – die Komik, die es offenbart, ist die des Einverständnisses.

Das anti-theatralische Moment, das dem Stück seine spezifisch Walsersche, sich selbst in Zweifel ziehende Theatralik verleiht, entsteht hier wie in *Eiche und Angora* aus der Verletzung des Erwartungsmechanismus eines sogenannten aufgeklärten Theaterpublikums. Normalerweise hält uns die Bühne große Momente entgegen, Augenblicke lebensverändernder Entscheidungen, Herkules am Scheideweg, Oedipus vor der Selbsterkenntnis, Posa vor Philipp. Das Drama, besonders in seiner auf die Trivialität herabgekommenen Form der UFA- und Hollywood-Filme, wirkt zurück auf eine Wirklichkeit, die sich zur Dramatik hochzustilisieren sucht. Walser hält dem den Alltag entgegen, wo das meiste gerade dann geschieht, wenn scheinbar nichts geschieht. Auch dieser Entheroisierungsvorgang ist mit dem Brechtschen Verfahren verwandt: Brecht beklagte und analysierte in vielen seiner Stücke die sogenannten unheroischen Zeiten, wo für Kleinigkeiten so viel Kraft und Wille aufgebracht werden müssen, wie sie Alexander für die Eroberung eines Weltreiches verbrauchte.

Walsers Anwendungen dieser Brechtschen Einsicht, auf eine verkürzte Formel gebracht, lauten: nicht nur die heroischen Zeiten verbrauchen unsere Energien derart für die Selbstverständlichkeiten – es gibt bei uns soviele Institutionen, die so «heroisch» konstruiert sind, daß sie für nichts als ihre pure Aufrechterhaltung alle Energien an sich fesseln. In der *Zimmerschlacht* ist die Ehe eine solche heroische Institution, in *Eiche und Angora* ist es ein kleines Gemeinwesen.

Die Problematik des Walserschen Verfahrens liegt in der Tatsache, daß die Situationen das Drama nicht fördern können, weil sie ja als Stillstand geschildert werden und weil sie als das Dauerhafte, also das denaturiert Natürliche erscheinen. Aus diesem Grund muß alle Erkenntnis von Walser in den Dialog verlegt werden. Der anfangs zitierte Auftritt der Frieda im *Abstecher* ist hierfür ein gutes Beispiel. Frieda ist zu gescheit, zu beweglich für die dumpfe Bewegungslosigkeit der Szene. Wenn Krott in der zitierten Einleitung zur «Beschimpfung» zynisch das einsieht, was der Zuschauer über ihn einsehen soll, drängt Walser das Charakterisierende über die Figuren in den Mund der Figuren. Und auch in der *Zimmerschlacht* leiht Walser den an sich hilflosen Geschöpfen seine mitreißende Suada so sehr, daß sich Ohnmacht und Wortgewalt gegenseitig in die Luft zu sprengen drohen.

Da Situationen keine Erkenntnisse ihrer Widersprüche mehr vermitteln können (man müßte denn, um den Gegensatz zwischen Dahlem und Moabit darstellen zu können, wie Brecht nach Sezuan ausweichen), wird der Gegensatz zwischen die Bewußtheit und die Sprachbewußtheit der Personen gelegt. Insofern ist es zwecklos und wenig adäquat, Walsers Dialog auf seine lebensnahe Wahrscheinlichkeit hin abzuhorchen. Die Sprache der Figuren ist auch ein Kommentar zu diesen Figuren. Aus diesem Grund wahrscheinlich läßt Walser in dem Stück *Ein Kinderspiel* die Figuren sich selbst fiktiv zitieren: dramatische Personen, die sich episch zitieren und die ihre Fiktion in der Fiktion ihrer Fiktion aufzuheben trachten.

Für die Figur des Kellners Ludwig im *Krott* hat Henning Rischbieter ein für das Verhältnis von Walsers Figuren zu ihrer Sprache prägnantes Beispiel zitiert und erläutert. Es ist die Stelle, wo Ludwig das Lob der unauffälligen, von keinem Besitz gefährdeten Existenz des Kellners seinem Sohn als Muster der Lebensweisheit erläutert: «Hansi, der Mächtigste ist doch der Kellner. Oben ist immer da, wo der Kellner ist. Schau Hansi, draußen auf der Straß machen sie eine Revolution. Du schaust vom Fenster aus zu. Die gewinnen, hauen den andern den Schädel ein und dann kommen sie herein zu dir und sagen: So, jetzt wird serviert: Kaviar und Champagner. Verstehst du, weil sie gewonnen haben. Und dir geben sie ein Mordstrinkgeld, daß du ihnen nicht so genau auf die Finger schaust. Erstens, weil da noch so Flecken dran sind, und zweitens, weil sie noch nicht genau wissen, welche Gabel sie zuerst nehmen sollen. Dann verschwinden sie und es sind wieder andere dran. Am Anfang verwechselt jeder das Messer, das übersieht der Kellner, und schon hagelt's Trinkgeld.» (S. 17) Dazu Rischbieter: «Das Zitat ist in verschiedener Hinsicht für Walser bezeichnend. Es zeigt die Wucherungen seiner Phantasie, ihre Detailsicherheit und -fülle und ihre Neigung zur Kreisbewegung. Der Inhalt des Zitats führt aber auch weit ab von der Funktion Ludwigs in der Parabel, die das Stück sein will. Die Figur gewinnt einen eigenen Habitus: totale Anpassung als Widerstand.» («Walsers Dialog») Man könnte noch weiter gehen und sagen, daß Ludwigs Lob der besitzlosen, aber stets am Mitbesitz beteiligten Parasiten-Existenz zweierlei verbindet. Einmal das, was die Figur, «realistisch» gesehen, von sich wissen kann und muß: der Berufsstolz, die Existenzrechtfertigung dem Sohn gegenüber und das Aussprechen der bürgerlichen Angst, die keinen Besitz will, um keinen verlieren zu können. Zum andern das, was der Autor weiß und dem Zuschauer sagen will: daß die bourgeoisen Formen jede Revolution überdauern und daß sich daher «Herrschaftsverhältnisse», wie sie sich besonders scheußlich in Dienstleistungsberufen (wie Kellner oder Chauffeur) widerspiegeln, alle scheinbaren Veränderungen überdauern. Walsers Schwejk- und Matti-Gestalten wissen im Gegensatz von denen Brechts nicht nur, daß sie verhandelt werden, sondern sie teilen dazu mit ihrem geistigen Urheber noch die resignierende Einsicht, daß auch ihre List daran nichts ändern wird. Auf eine kurze Formel gebracht, die eine Figur als Beispiel für viele nimmt: der Aloys in *Eiche und Angora* ist seinem Schicksal und Bewußtseinsgrad nach Büchners Woyzeck nachgeformt, aber die Zunge, die ihm Walser gleichzeitig verliehen hat, ist die von Brechts Schweyck. Walsers Figuren sehen viel klarer, als es die Situation ist, in der sie doch so hoffnungslos stecken. Ist deswegen der Autor der Ansicht, auch Bewußtheit helfe nichts gegen den Zustand der Bewußtlosigkeit?

In seinem Vortrag auf dem Essener Germanistentag 1964 hat Walser für seinen «Realismus» in Anspruch genommen, daß er nicht an der bloßen analogen Wahrscheinlichkeit, an der Rückübersetzung in die Realität gemessen werde: «‹Wirklich›, dieses Wort heißt doch: vorhanden, existent, aber doch unangeschaut. ‹Realistisch› dagegen bezeichnet das Verhältnis des Anschauenden zu seinem Gegenstand. Der optimale Ausdruck dieses Verhältnisses grenzt an Wahrheit. Da die Wirklichkeit immer konservativ ist, also verbirgt oder unterdrückt, was ihrer Unterhaltung nicht dient, wirkt realistische Anschauungsweise von selbst kritisch. Deshalb nennen die konservativen Beobachter lieber das realistisch, was der erscheinenden Wirklichkeit ähnelt, was also in ihrem Dienste steht. Die von realistischer Anschauung zeugende Fabel läßt sich von der Wirklichkeit nichts vormachen, sie macht vielmehr der Wirklichkeit vor, wie Wirklichkeit ist. Sie spielt mit der Wirklichkeit, bis die das Geständnis ablegt: das bin ich. Die realistische Fabel hat eine utopische Tendenz: sie möchte ein exaktes Bild liefern, sie möchte selber exakt sein. Also hat sie die Tendenz zur Musik und zur Naturwissenschaft. Die Tendenz, Stoff und Formel des Stoffs zu sein. Solange als möglich wird sie sich des irdischen Jenseits enthalten.» (*Erfahrungen und Leseerfahrungen*, S. 92)

In diesen Sätzen steckt eine exakte Selbstbeschreibung auch des Walserschen Dialogs, seiner Bühnensprache, die – so realistisch sie sich auch oft geben mag, indem sie Dialekt-Elemente aufnimmt, Redensarten und Leerformeln zur Entlarvung einsetzt, den Halbstarkenjargon im *Kinderspiel* kopiert – stets Stoff und Formel des Stoffs zugleich sein will und die deshalb zu den Figuren stets die Formeln der Figuren mitliefert – das, was sie denken und das, was wir über sie zu denken haben.

VII

Zeittafel Martin Walser

1927: 24. März	geboren in Wasserburg am Bodensee.
1927–1944	Wasserburg.
1938	Tod des Vaters.
1944	Arbeitsdienst. Bruder Joseph gefallen.
1944–1945	Militärdienst, amerikanische Gefangenschaft.
1946	Abitur in Lindau.
1947–1948	Philosophisch-Theologische Hochschule, Regensburg.
1948–1951	Studium der Germanistik, Anglistik, Philosophie in Tübingen. Gleichzeitig beim Süddeutschen Rundfunk Stuttgart als Reporter, dann als Redakteur.
1949–1957	Wohnungen in Stuttgart und Umgebung.
1950	Heirat mit Katharina Neuner-Jehle.
1951	Dr. phil., Tübingen.
1952	Tochter Franziska geboren.
1953	Erste Lesung für die Gruppe 47: Ausschnitt aus «Schüchterne Beschreibungen».
1955	*Ein Flugzeug über dem Haus.* – Preis der Gruppe 47 für «Templones Ende».
1957	*Ehen in Philippsburg.* – Tochter Katharina geboren. Krankheit (Gallenoperation). Umzug nach Friedrichshafen. – Hermann-Hesse-Preis für *Ehen in Philippsburg*.
1957–1961	Hörspielregie in Frankfurt, Stuttgart, Baden-Baden, München, Hamburg.
1958	Drei Monate in USA: International Summer School, Harvard Universität.
1960	*Halbzeit.* – Tochter Alissa geboren.
1961	*Beschreibung einer Form.*
1962	*Eiche und Angora.* – Gerhart-Hauptmann-Preis.
1964	*Überlebensgroß Herr Krott.* – *Lügengeschichten.* – *Der schwarze Schwan.*
1965	*Erfahrungen und Leseerfahrungen.* – Schiller-Ge-

dächtnis-Förderpreis des Landes Baden-Württemberg.

1966 *Das Einhorn.* – Tochter Theresia geboren.

1967 *Der Abstecher* (geschr. 1961). – *Die Zimmerschlacht* (geschr. 1962, 1963, 1967). – Tod der Mutter. – Bodensee-Literaturpreis der Stadt Überlingen.

1968 *Heimatkunde.* – Umzug nach Nußdorf.

1970 *Fiction.* – *Ein Kinderspiel.*

1971 *Aus dem Wortschatz unserer Kämpfe*

VIII

Bibliographie

Die folgenden Abkürzungen wurden benutzt: a = Aufsatz (Aufsätze); e = Erzählung (Erzählungen); g = Gedicht (Gedichte); h = Hörspiel (Hörspiele); i = Interview (Interviews); r = Roman; rz = Rezension (Rezensionen); s = Stück (Stücke).

A = *Der Abstecher*; B = *Beschreibung einer Form*; E = *Das Einhorn*; EA = *Eiche und Angora*; EL = *Erfahrungen und Leseerfahrungen*; EP = *Ehen in Philippsburg*; F = *Fiction*; Fl = *Ein Flugzeug über dem Haus und andere Geschichten*; H = *Halbzeit*; HA = *Heimatkunde. Aufsätze und Reden*; K = *Ein Kinderspiel*; L = *Lügengeschichten*; S = *Der schwarze Schwan*; Ü = *Überlebensgroß Herr Krott*; Z = *Die Zimmerschlacht*. – Al = *Allgemein über Walser*.

A. PRIMÄRLITERATUR

Ein Flugzeug über dem Haus und andere Geschichten (e), Frankfurt/M. 1955.
– *Inhalt:* Ein Flugzeug über dem Haus – Gefahrenvoller Aufenthalt – Ich suchte eine Frau – Der Umzug – Die Klagen über meine Methoden häufen sich – Die Rückkehr eines Sammlers – Was wären wir ohne Belmonte – Templones Ende – Die letzte Matinee.
Ehen in Philippsburg (r), Frankfurt/M. 1957.
Halbzeit (r), Frankfurt/M. 1960.
Beschreibung einer Form (Dissertation), München 1961.
Eiche und Angora (s), Frankfurt/M. 1962.
Überlebensgroß Herr Krott (s), Frankfurt/M. 1964.
Lügengeschichten (e), Frankfurt/M. 1964. Inhalt: Mein Riesen-Problem – Nachruf auf Litze – Mitwirkung bei meinem Ende – Bolzer, ein Familienleben – Rohrzucker – Eine Pflicht in Stuttgart – Ein schöner Sieg – Eine unerhörte Gelegenheit – Nach Siegfrieds Tod.
Der schwarze Schwan (s), Frankfurt/M. 1964.
Erfahrungen und Leseerfahrungen (a), Frankfurt/M. 1965. *Inhalt:* Ein deutsches Mosaik – Skizze zu einem Vorwurf – Einheimische Kentauren – Hamlet als Autor – Vom erwarteten Theater – Imitation oder Realismus – Freiübungen – Hölderlin auf dem Dachboden – Leseerfahrungen mit Marcel Proust – Arbeit am Beispiel. Über Franz Kafka – Alleinstehender Dichter. Über Robert Walser – Brief an einen ganz jungen Autor.
Das Einhorn (r), Frankfurt/M. 1966.
Theater – Theater (a), Velber 1967 (zus. mit Chargesheimer).
Stationen Vietnams (a), Augsburg 1967 (mit Zeichnungen von Carlo Schellemann).
Der Abstecher/Die Zimmerschlacht (s), Frankfurt/M. 1967.

Heimatkunde. Aufsätze und Reden (a), Frankfurt/M. 1968. *Inhalt:* Unser Auschwitz – Praktiker, Weltfremde und Vietnam – Auskunft über den Protest – Heimatkunde – Bemerkungen über unseren Dialekt – Die Parolen und die Wirklichkeit – Ein weiterer Tagtraum vom Theater – Amerikanischer als die Amerikaner – Engagement als Pflichtfach für Schriftsteller.

Fiction (Prosa), Frankfurt/M. 1970.

Ein Kinderspiel (s), Frankfurt/M. 1970.

Hölderlin zu entsprechen (Rede), Biberach an der Riß 1970.

Aus dem Wortschatz unserer Kämpfe (a), Stierstadt/Ts. 1971.

«Kafka und kein Ende» (a), *Die Literatur*, 1. 4. 1952, S. 5.

«Letzte Warnung» (a), *Die Kultur*, I, 3 (1. 11. 1952).

«Gruppenbild 1952» (a), *Radio Bern*, November 1952.

«Der Philosoph» (a), *Frankfurter Hefte*, IV, 11 (1954), S. 828–831.

«Ein grenzenloser Nachmittag» (h), *Hörspielbuch 1955*, Frankfurt/M. 1955, S. 177–207.

«Jener Intellektuelle» (a), *Akzente*, April 1956, S. 134–137.

«Ein Angriff auf Perduz» (e), *Texte und Zeichen*, II, 3 (Mai 1956), S. 254 bis 256.

«Der Schriftsteller und die Gesellschaft» (a), *Dichten und Trachten*, X (Herbst 1957), S. 36–39.

«Zum Buch eines ‹Nichtchristen›» (rz), *Süddeutsche Zeitung*, 25./26. 10. 1958.

«Anfrage: Woran arbeiten Sie?», *Dichten und Trachten*, XI (Frühjahr 1958), S. 90 f.

«Der Dompteur und die Katzen» (über Henri Montherlant), *Frankfurter Hefte*, XIII, 12 (1958), S. 891–894.

«Prophet mit Marx- und Engelszungen» (rz), *Süddeutsche Zeitung*, 26./27. 9. 1959.

«Eigentlich müßte immer Post da sein» (e), *Auf den Spuren der Zeit* (Hrsg. Rolf Schroers), München 1959, S. 190–194.

«Herr Suhrkamp» (a), *In Memoriam Peter Suhrkamp*, Frankfurt/M. 1959, S. 74–80.

«Stichwort zu einem Plädoyer» (a), *Magnum*, 23 (1959).

«Aus dem Stoff der fünfziger Jahre» (a), *Deutsche Zeitung*, 24./25. 9. 1960.

«Der Wurm» (e), *Prosa 60*, Berlin-Grunewald 1960, S. 85–93.

«Sonntagnachmittag» (g), *Bodensee-Hefte*, 5 (Mai 1961), S. 179.

«Ins Wasser zu schauen», *Bodensee-Hefte*, 7 (Juli 1961), S. 268.

«Was Schriftsteller tun können. Zu dem Roman *Das dritte Buch über Achim* von Uwe Johnson» (rz), *Süddeutsche Zeitung*, 26./27. 8. 1961.

«Einer der auszog, das Fürchten zu verlernen. Vermutungen über Hans Magnus Enzensberger» (a), *Die Zeit*, 15. 9. 1961.

«Fingerübungen eines Mörders» (e), *Akzente*, Oktober 1961, S. 309–314.

«Willkürliche Rede über die Gattungen» (a), *Werkraum*, II (November 1961).

«Ein Jahr und das Gedächtnis» (a), *Süddeutsche Zeitung*, 30./31. 12. 1961.

«Friedrich Hölderlin. Eine Entdeckung auf dem Dachboden» (a), *Triffst du nur das Zauberwort* (Hrsg. Jürgen Peterson), Frankfurt/M. und Berlin 1961, S. 58–67.

«Das Fundament der Saison» (a), *Die Alternative oder brauchen wir eine neue Regierung?* (Hrsg. Martin Walser), Reinbek b. Hbg. 1961, S. 5 f.

«Soll man diese Nieren essen? Noch ein offener Brief» (an Siegfried Lenz), *Die Zeit*, 2. 3. 1962.

«Internationale der Überlebenden» (a), *Die Zeit*, 10. 8. 1962.

«Regie-Erfahrungen mit Weyrauchs Hörspielen» (a), *Süddeutsche Zeitung*, 22./23. 9. 1962.

«Das Theater, das ich erwarte» (a), *Die Zeit*, 23. 11. 1962.

«Überredung zum Feiertag», *Süddeutsche Zeitung*, 22./23. 12. 1962.

«Dialekt und Dialog», *Schiller-Theater Heft*, 124, 1962/63.

«Lebenslauf», *Schiller-Theater Heft*, 124, 1962/63.

«Fällige Fragen», *Der Jungbuchhandel*, XVII, 2 (Februar 1963), S. 70.

«Vier Fragen – vier Antworten» (Martin Walsers Antwort auf die Umfrage «Wie ist die heutige Welt auf dem Theater darzustellen»), *Süddeutsche Zeitung*, 22. 8. 1963.

«Auskunft über Mayer», *Süddeutsche Zeitung*, 4. 9. 1963.

«Alternativen, Sackgassen?» (a), *Theater heute*, 11. 11. 1963, S. 30.

«Bericht eines Besuchers», *Die Zeit*, 15. 11. 1963.

«Ein Freund. Zum Tode von Hans-Joachim Sperr», *Süddeutsche Zeitung*, 30. 11./1. 12. 1963.

«Bewältigung» (g), *Das Atelier II* (Hrsg. Klaus Wagenbach), Frankfurt/M. und Hamburg 1963, S. 14.

«Großmutters Nase» (g), *Das Atelier II* (Hrsg. Klaus Wagenbach), Frankfurt/M. und Hamburg 1963, S. 140.

«In meinem Kopf» (g), *Das Atelier II* (Hrsg. Klaus Wagenbach), Frankfurt/M. und Hamburg 1963, S. 67.

«Vorwort», zu: *Die Nacht zu begraben*, von Eliezer Wiesel, München 1963, S. 5–8.

«Sozialisieren wir die Gruppe 47!» (a), *Die Zeit*, 3. 7. 1964.

«Ruiniert die Sprache», *Der Abend*, 9. 7. 1964, S. 3.

«Mit welchem Recht hält Deutschland an der Ablehnung der Zwei-Staaten Theorie fest», *Commentarii*, 3, 1964, S. 14.

«Das Thema» (a), *Commentarii*, 3, 1964.

«Eine winzige Theorie der Geschichte» (a), *Dichten und Trachten*, 24, 1964, S. 30–33.

«Bücher, die wir empfehlen» (rz), *Advent*, 1964, S. 7.

«Professoren-Liedchen» (g), «Prophezeiung» (g), *Meisengeige* (Hrsg. G. B. Fuchs), München 1964.

«Und als die Maschine fertig war», *Dichtung und Arbeit*, Düsseldorf 1964, S. 75 f.

«Tagtraum, daß der Kritiker ein Schriftsteller sei», *Süddeutsche Zeitung*, 31. 12. 1964/1. 1. 1965.

«Glänzende Skrupel» (rz), *Der Spiegel*, Nr. 12, 1965.

«Über die Verwendung von Metzgern in Gedichten» (a), *Die Zeit*, 17. 9. 1965.

«Wie hältst Du's mit Vietnam», *Elan*, September 1965.

«Keine rhetorische Schreckphase mehr», *Die Weltwoche*, 3. 12. 1965.

«Imitation oder Realismus» (a), *Germanistik in Forschung und Lehre*, Berlin 1965, S. 247–264.

«Die notwendigen Schritte», in: *Satiren*, von Jonathan Swift, Frankfurt/M. 1965, S. 5–35.

«Stimme zu Robert Neumanns Artikel ‹Spezies›», *Konkret*, Juni 1966, S. 31.

«Rede», *Süddeutsche Zeitung*, 29. 9. 1966.

«Bürokratie zweiten Ranges» (a), *Abendzeitung*, 24. 12. 1966.

«Davor habe ich Angst» (a), *34 x erste Liebe* (Hrsg. Robert Neumann), Frankfurt/M. 1966, S. 115.

«Bewältigung» (g), *Deutsche Teilung* (Hrsg. Kurt Morawietz), Wiesbaden 1966.

«Heimatkunde» (a), *Merian*, XX, 4 (April 1967), S. 5–8.

«Warum wählen wir noch?» (a), *Der Spiegel*, 15. 5. 1967, S. 137.

«Bemerkungen über unseren Dialekt», *Neue Zürcher Zeitung*, 24. 6. 1967.

«Eine Wirkung Fritz Kortners», *Theater heute*, VIII, 7 (Juli 1967), S. 31.

«Die Unschuld des Obszönen» (a), *Frankfurter Allgemeine Zeitung*, 2. 8. 1967.

«Die Parolen und die Wirklichkeit» (a), *Süddeutsche Zeitung*, 26./27. 8. 1967.

«Theater als Seelenbadeanstalten» (a), *Die Zeit*, 29. 9. 1967.

«Amerikanischer Irrtum», *Schwäbische Zeitung*, 30. 9. 1967.

«Umsonst oder nicht umsonst» (g), *Stuttgarter Zeitung*, 25. 10. 1967.

«Ein sehr bescheidener Vorschlag» (a), *Kürbiskern*, 4, 1967, S. 91 f.

«Auskunft über den Protest» (a), *Kursbuch*, 9, 1967, S. 178–180.

«Praktiker, Weltfremde und Vietnam» (a), *Kursbuch*, 9, 1967, 168–176.

«Geburtstagsrede», *Hans Mayer zum 60. Geburtstag* (Hrsg. Fritz J. Raddatz), Reinbek bei Hamburg 1967, S. 106.

«Einladung» (g), *Anthologie als Alibi* (Hrsg. V. O. Stomps), Berlin 1967.

«Amerikanischer als die Amerikaner», *Kürbiskern*, 1, 1968, S. 139–149.

«Beim Lesen notiert» (über Robert Walser), *Westermanns Monatshefte*, CIX, 1 (1968), S. 9.

«Und wie halten Sie es mit dem Protest», *Pardon*, VII, 1 (Januar 1968), S. 32.

«Beitrag zur atomaren Hi...» (Bundestagsdebatte über Vietnam), *Der Spiegel*, 18. 3. 1968.

«Allgemeine Schmerzschleuder» (g), *Die Zeit*, 22. 3. 1968.

«Ist die Revolution unvermeidlich?», *Der Spiegel*, 8. 4. 1968, S. 73.

«Wir werden schon noch handeln» (s), *Akzente*, XV, 6 (1968), S. 511–544.

«Vorschläge für ein aktuelles Theater», *Ex libris*, XXIII, 10 (Oktober 1968), S. 15 f.

«Mythen, Milch und Mut» (a), *Christ und Welt*, 18. 10. 1968.

«Berichte aus der Klassengesellschaft», Vorwort zu: *Bottroper Protokolle*, von Erika Runge, Frankfurt/M. 1968, S. 7–10.

«Böll und fünfzig» (a), *In Sachen Böll* (Hrsg. Marcel Reich-Ranicki), Köln 1968, S. 311 f.

«Einseitige Erfahrungen» (a), *Heinrich Maria Ledig-Rowohlt zuliebe* (Hrsg. Siegfried Unseld), Reinbek bei Hamburg 1968, S. 109 f.

«Versuch, einen Beamten zu einer gesetzwidrigen Handlung zu überreden»,

«An einen süßen Sozialdemokraten», «Vorbereitung von Prosa», «Schon wieder ein Kunstwerk» (g), *Wege und Gestalten* (Hrsg. Heinz Sauereßig und Klaus Schroter), Biberach an der Riß 1968, S. 68–71.

«Ein Nachwort zur Ergänzung», *Vorleben*, von Ursula Trauberg (Hrsg. Martin Walser), Frankfurt/M. 1968, S. 269–299.

«Stichworte bei meiner Lektüre» (rz), *Hessischer Rundfunk*, 4. 1. 1969, 2. Programm.

«Und die Taube jagt den Greif», *Münchner Abendzeitung*, 4./5./6. 1. 1969.

«Rede an die Mehrheit», *Kürbiskern*, 2, 1969, S. 335–339.

«Bewältigung», «Reise» (g), *Süddeutsche Zeitung*, 21./22. 6. 1969.

«Was wählen Sie am 28. September 1969», *Pardon*, VIII, 9 (September 1969).

«Wo uns der Schuh drückt» (Szene), *Schwäbisches Tagblatt*, 4. 10. 1969.

«Brief an Walter Jens», *Stuttgarter Nachrichten*, 7. 10. 1969.

«Martin Walser empfiehlt Bücher 1969», *Stuttgarter Nachrichten*, 7. 10. 1969.

«Erlebnis» (a), *Die Zeit*, 17. 10. 1969, S. 16.

«Mit Janssen im Ohr», «Lebenslauf» (a), *Wege und Gestalten* (Hrsg. Heinz Sauereßig), Biberach an der Riß 1969.

«Vorschläge zur Praxis. Provokative Ansichten zu einem demokratischen Theater», *Meinungen. Schweinfurter Theaterblätter*, 21, November 1969, S. 10 f.

«Berührungspunkt. Zum 70. Geburtstag von Ernst Müller» (g), *Schwäbisches Tagblatt*, 31. 12. 1969.

«Nachwort», zu: *Vom Waisenhaus ins Zuchthaus*, von Wolfgang Werner (Hrsg. Martin Walser), Frankfurt/M. 1969, S. 263–267.

«Es fehlt ihm das Verpackungswesen» (a), *Süddeutsche Zeitung*, 31. 1./1. 2. 1970.

«Über den Ekel kommt keiner hinaus» (a), *Der Spiegel*, 23. 3. 1970.

«Über die neueste Stimmung im Westen» (a), *Kursbuch*, 20, 1970, S. 19–41.

«Ist die deutsche Bank naiv?» (a), *Der Spiegel*, 24. 8. 1970, S. 128–138.

B. SEKUNDÄRLITERATUR

Abendzeitung, 18. 2. 1969: «Neuer Martin Walser» (über: *Welche Farbe hat das Morgenrot?*).

Adam, Klaus, «Martin Walsers Zimmerschlacht», *Ruhr-Nachrichten*, 13. 12. 1967.

Ahl, Herbert, *Literarische Portraits*, München und Wien 1962. S. 15–27: «Klima einer Gesellschaft: Martin Walser».

Allgäuer, 30. 11. 1957: «Ehen in Philippsburg».

Alter, André, «Chêne et Lapins Angora» (EA), *Témoinage Chrétien*, 29. 2. 1968.

Arnold, Heinz Ludwig, «Wer kennt Walser» (Al), *Die Zeit*, 29. 5. 1970, S. 16.

Badia, Gilbert, «Walser au T. N. P.» (EA), *Les Lettres Françaises*, 31. 1. 1968, S. 26.

– «Martin Walser ou un auteur à la recherche du temps present» (EA), *Bref. Périodique du Théâtre National Populaire*, Januar 1968, S. 6 f.

Badische Neueste Nachrichten, 7. 12. 1957: «Mit leeren Händen. Zynismus allein macht noch keine Satire» (EP).

Baukloh, Friedhelm, «Der Walser-Rapport» (H), *Echo der Zeit*, 11. 6. 1961.

Bausinger, Hermann, «Heimatdichter Martin Walser?» (Laudatio), *Stuttgarter Zeitung*, 24. 6. 1967.

Bayerische Staatszeitung, 15. 12. 1967: «Kleines Eheduell in zu großen Pantoffeln» (Z).

Beckermann, Thomas, «Martin Walser als literarischer Zeitgenosse» (i), *Tübinger Forschungen*, 35 (Beilage zu: *Schwäbisches Tagblatt*), November 1967, S. 3 f.

– *Erzählprobleme in Martin Walsers Romanen* (i), Biberach an der Riß 1968 (25 Exemplare).

– (Hrsg.), *Über Martin Walser* (Al, mit Bibliographie), Frankfurt/M. 1970.

Beckmann, Heinz, «Bare Nullen statt Menschen» (Z), *Rheinischer Merkur*, 25. 12. 1967.

Beer, Otto F., «Der deutsche Kunstfaser-Schwejk» (EA), *Neues Österreich*, 31. 3. 1963, S. 9.

– «Erotische Raubtier-Zimmerschlachten» (Z), *Süddeutsche Zeitung*, 25. 2. 1969.

Behl, C. F. W., «Übungsstück für ein Ehepaar» (Z), *Main-Echo*, 13. 12. 1967.

Berger, Friedrich, «Deutsche Geschichte, in Wolle verpackt» (EA), *Kölner Stadtanzeiger*, 25. 9. 1962, S. 4.

Berghahn, Wilfried, «Sehnsucht nach Widerstand» (H), *Frankfurter Hefte*, XVI, 2 (1961), S. 135–137.

Bernhard, Marianne, «Müde Münchner Bühnen» (Z), *Stuttgarter Nachrichten*, 23. 12. 1967.

Bienek, Horst, «Dem Sog ergeben. Ein Werkstattgespräch zwischen Martin Walser und Horst Bienek» (i), *Der Monat*, 168, September 1962, S. 56–61.

Binns, Frederic W., «Walser, Martin: Marriage in Philippsburg» (EP), *Library Journal*, LXXXVI, 15 (1. 9. 1961), S. 2823.

Blöcker, Günter, *Kritisches Lesebuch*, Hamburg 1962. S. 187–191: «Martin Walser: *Halbzeit*».

– *Literatur als Teilhabe*, Berlin 1966. S. 46–51: «Martin Walser: *Lügengeschichten/Der schwarze Schwan*».

– «Die endgültig verlorene Zeit» (E), *Merkur*, XX, 1966, S. 987–991.

– «Das Urteil über sich selbst gesprochen?» (F), *Frankfurter Allgemeine Zeitung*, 3. 3. 1970.

Bodensee, 6, Juni 1967: «Zusammenleben will geübt sein» (i).

Böse, Georg, «Buch der Woche» (EP), *Hessischer Rundfunk*, 8. 12. 1957.

Bold, Hilde, «Martin Walser: Auf der Suche nach der Wirklichkeit» (i), *Ruhr-Nachrichten*, 1./2. 12. 1962.

Braem, Helmut M., «Lug und Trug» (EP), *Deutsche Rundschau*, Dez. 1957.

Bremer Nachrichten, 3. 11. 1966: «Beim Schreiben sogar das Atmen vergessen» (i).

Burgdorfer Tagblatt, 15. 12. 1969: «Martin Walser: *Das Einhorn*».

Bürke, Georg, «Liebe – Gedächtnis – Sprache» (E), *Orientierung*, IV, 31 (28. 2. 1967), S. 48 f.

Busch, Günther, «Unser Buch des Monats» (H), *Panorama*, IV, 11 (November 1960), S. 2.

– «Martin Walser», *Schriftsteller der Gegenwart* (Hrsg. Klaus Nonnenmann), Olten und Freiburg i. Br. 1963, S. 300–305.

Chicago Sun-Times, 6. 8. 1961, S. 4: «Promising First Novel by a German» (EP).

Chotjewitz, Peter O., «Erzählungen aus dem Zettelkasten» (E), *Kölner Stadt-Anzeiger*, Buchbeilage September 1966.

– «Martin Walser: *Das Einhorn*», *Literatur und Kritik*, 9/10, 1966, S. 109 bis 113.

Closs, August (Hrsg.), *Twentieth Century German Literature*, London 1969. S. 389 f.: «Martin Walser».

Colberg, Klaus, «SWF-Kulturmagazin» (Z), *Südwestfunk*, Sendung 12. 12. 1967.

Coleman, John, «Public Showing» (EP), *Spectator*, 11. 3. 1960, S. 364.

Coubier, Heinz, «Statt einer Eiche» (EA), *Merkur*, 17, 1963, S. 309–312.

Cowan, Louise, «Flat Surfaces» (EP), *National Review*, 21. 10. 1961, S. 273 f.

Cwojdrak, Günther, «Lügengeschichten ohne Lug» (L), *Die Weltbühne*, XX, 8 (24. 2. 1965), S. 242–244.

– «Über Walser und Böll» (E), *Die Weltbühne*, XXII, 3 (18. 1. 1967), S. 81–84.

Czaschke, Annemarie, «Schmunzelabend für Ehepaare» (Z), *Frankfurter Rundschau*, 11. 12. 1967.

Daix, Georges, «Chêne et lapins angora» (EA), *La France Catholique*, 1. 3. 1968.

Danler, Karl-Robert, «Eine verlorene Zimmerschlacht» (Z), *Industriekurier*, 16. 12. 1967.

Dannecker, Hermann, «Martin Walsers Zimmerschlacht» (Z), *Rheinische Post*, 9. 12. 1967.

Dechene, Lisa, «Martin Walser und die Ehen in Philippsburg», *Echo der Zeit*, 20. 12. 1964.

Diem, Eugen, «Dünne Zimmerschlacht und Mutterliebe» (Z), *Badische Neueste Nachrichten*, 3. 1. 1968.

Dietz, Ludwig, «Walser, Martin: Beschreibung einer Form», *Germanistik*, IV, 2 (1963), S. 368 f.

Doane, Heike, «Gesellschaftskritik in Martin Walsers Romanen» (Diss.), McGill University, Montreal 1971.

DPA, «Lord Chamberlain zähmte *Eiche und Angora*», *Die Rheinpfalz*, 22. 8. 1963.

Dressel, Herbert, «Walser bietet Wechselbad» (Z), *Nacht-Depesche*, 10. 2. 1968.

Drews, Jörg, «Halbzeit», *Kindlers Literatur Lexikon*, Zürich 1965, S. 1394.

Drews, Wolfgang, «Walsers Zimmerschlacht» (Z), *Der Tagesspiegel*, 13. 12. 1967.

Düsseldorfer Nachrichten, 19. 9. 1966: «Proben schäumender Prosa» (E).

Enzensberger, Hans Magnus, *Einzelheiten*, Frankfurt 1962. S. 240–245: «Ein sanfter Wüterich».

Erck, Alfred, «Die Helden sitzen im Zuschauerraum» (EA), *Freies Wort*, 20. 10. 1965.

Erlanger Tagblatt, 17. 12. 1957: «Gesellschaftskritik von Heinrich Mann und Martin Walser» (EP).

Ferber, Christian, «Die Frühjahrstagung der Gruppe 47 in Mainz», *Süddeutscher Rundfunk*, Stuttgart Juli 1953.

Fischer, K. B., «Melancholisches Clowns-Spiel» (Z), *Schwäbische Donau-Zeitung*, 11. 12. 1967.

Frankfurter Allgemeine Zeitung, 24. 10. 1962, S. 20: «Martin Walser und sein Held» (EA).

Frankfurter Neue Presse, 24. 3. 1970: «Im Labyrinth der Sätze» (F).

Frankfurter Rundschau, 14. 12. 1957: «Sonde in Ehen» (EP).

– 13. 1. 1965: «Saalschlacht» (Z).

Fricke-Klotz, *Geschichte der deutschen Dichtung*, 12. Auflage, Hamburg 1966. S. 494: «Martin Walser».

Fritz, Ursula, «Was – Wo – Wie – Mitwirkung bei meinem Ende» (L), *Kannitverstan*, Tuttlingen Januar 1968, S. 80 f.

Furbank, P. N., «New Novels» (EP), *The Listener*, LXIII, 1618 (31. 3. 1960), S. 587.

Garbe, Horst, «Bei diesem Ehekrieg darf auch oft gelacht werden» (Z), *Morgen-Post*, 10. 2. 1968.

Gautier, Jean Jaques, «Chêne et lapins angora» (EA), *Figaro*, 16. 2. 1968.

Gellert, Roger, «Alois and the Angoras» (EA), *New Statesman*, 6. 9. 1963, S. 296 f.

Ghedini, Wolf, «Don Juan ‹66›» (E), *Der Abend*, Berlin 1. 9. 1966.

Glaser, Franz, «Ein Ehedrama von Martin Walser» (Z), *St. Galler Tagblatt*, 21. 11. 1968.

Gottfriedsen, U., «Ein Dichter scheiterte am Sex!» (E), *Der Mittag*, 19. 9. 1966.

Grack, Günther, «Poeten auf dem Podium» (Al), *Der Tagesspiegel*, 8. 12. 1960.

Grau, Werner, «Martin Walser» (Al), *Der Jungbuchhandel*, 15, 1961, S. 413 bis 416.

Gray, Ronald, «Beschreibung einer Form. By Martin Walser», *German Life and Letters*, Januar 1964, S. 167.

Greisenegger, Wolfgang, «Eiche und Angora», *Neue Wege*, März 1963, S. 28 f.

Grunert, Manfred und Barbara Grunert (Hrsg.), *Wie stehen Sie dazu? Jugend fragt Prominente*, München und Bern 1967.
S. 195–201: «Schulklassengespräch mit Martin Walser».

Haager, Hans Joachim, «Dramatische Wechselbäder» (EA), *Stuttgarter Nachrichten*, 16. 10. 1962.

Ha-Duy, Henri, «Martin Walser, romancier» (Al), *Rencontres*, X, 72 (Januar/Februar 1968), S. 2 ff.

Hagen, Friedrich, «Falle mit Speck» (EA), *Stuttgarter Zeitung*, 30. 3. 1968.

Hahnl, Hans Heinz, «Genrebilder deutscher Spießerjämmerlichkeit» (EA), *Abendzeitung*, 31. 3. 1963, S. 8.

Hall, John, «Martin Walser: *The Rabbit Race* and *Detour*» (EA, A), *Books and Bookmen*, X, 8 (Mai 1966), S. 38.

Hamm, Peter, «Auf der Suche nach der verlorenen Halbzeit» (H), *Das Schönste*, Januar 1962.

– «Nachruf auf Orli und eine Kultur» (E), *Frankfurter Hefte*, 21, 1966, S. 795–797.

Handke, Peter, «Bücherecke» (L), *Österreichischer Rundfunk*, 9. 11. 1964, 1. Programm, Studio Graz.

Hanley, Clifford, «Big Deals» (EA), *Spectator*, 23. 8. 1963, S. 231.

Hartlaub, Geno, «Vom Einhorn zum goldenen Esel» (i), *Sonntagsblatt*, 19. 2. 1967.

– «Ich sprach mit Martin Walser» (i), *Westermanns Monatshefte*, September 1967, S. 57–60.

Hartung, Rudolf, «Explosion im Wasserglas» (EP), *Der Monat*, X, 111 (1957/58), S. 77 f.

– «Schaum in der Klarsicht-Tube» (H), *Der Monat*, XXIII, 147 (1960/61), S. 65–69.

– «Kulturelles Wort» (E), *Hessischer Rundfunk*, 28. 8. 1966, 2. Programm.

– «Martin Walser/*Das Einhorn*», *Neue Rundschau*, 77, 1966, S. 668–672.

Hebbeln, Volker, «Für Sie gelesen und besprochen» (EP), *Bücherfreunde, Verleger und Autoren*, Flensburg 1957, S. 5–7.

Heim, Dr. K., «Der Schriftsteller als kritisch-hilfreicher Beobachter» (i), *Süd-kurier*, 13./14. 7. 1957.

Heinisch, Eduard C., «Pop-Kritiker gesucht» (F), *Die Furche*, 21. 3. 1970.

Heißenbüttel, Helmut (und Kurt Hübner, Ingrid Kreuzer, Günther Penzoldt, Jörg Wehmeier), «Warum Walser vorbei trifft. Entgegnungen zu Hellmuth Karaseks Verteidigung von Martin Walsers *Überlebensgroß Herr Krott*», *Theater heute*, IV, 4 (1964).

– «Neue Bücher» (F), *Norddeutscher Rundfunk*, 4. 4. 1970.

Heitner, Robert R. (Hrsg.), *The Contemporary Novel in German*, Austin und London 1967. (Über Walser: S. 75, S. 79 f., S. 82 f.)

Helwig, Werner, «Soziologie der Verzweiflung» (EP), *St. Galler Tagblatt*, 2. 11. 1957.

– «Soziologie der Verzweiflung, ein Roman aus der alten Donaumonarchie» (EP), *Atlantis*, November 1958.

– «Die Pein der Ehrlichkeit» (H), *Christ und Welt*, 20. 10. 1960, S. 20.

Hensel, Georg, «Öppis Gnaus über Liebe» (E), *Darmstädter Echo*, 2. 9. 1966.

Herrmann, Walter M., «Eine gescheiterte Ehe – dreistündige Tortur» (Z), *Hamburger Abendblatt*, 11. 12. 1967.

Hessische Allgemeine, 3. 9. 1966: «Bücher, von denen man spricht» (E).

Hildesheimer Presse, 14. 10. 1966: «Satirische Protokolle der Gegenwart» (E).

Hill, Roland, «Die Edinburger Festspiele 1963» (EA), *Frankfurter Allgemeine Zeitung*, 4. 9. 1963.

Honolka, Kurt, «Schwejks blasses Abziehbild» (EA), *Stuttgarter Nachrichten*, 25. 9. 1962, S. 9.

Honsza, Norbert, «Antypody teatru» (Antipoden des Theaters), *Poglady*, VIII, 19 (Katowice 1969), S. 17.

Hornung, Peter, «Die Gruppe, die keine Gruppe ist» (über Tagung Gruppe 47), *Tages-Anzeiger*, Regensburg Mai 1955.

– «Was man erlebt, wenn man zu jungen Dichtern fährt» (über Tagung Gruppe 47), *Neue Presse*, Passau 16. 11. 1956.

Hübner, Kurt (und Günther Penzoldt, Ingrid Kreuzer, Helmut Heißenbüttel, Jörg Wehmeier), «Warum Walser vorbei trifft. Entgegnungen zu Hellmuth Karaseks Verteidigung von Martin Walsers *Überlebensgroß Herr Krott*», *Theater heute*, IV, 4 (1964).

Hübner, Paul, «Martin Walsers Bett-Monolog» (E), *Rheinische Post*, 3. 9. 1966.

Hühnerfeld, Paul, «Männer, Frauen und Geliebte» (EP), *Die Zeit*, 19. 12. 1957.

Ignée, Wolfgang, «Kortners Stück» (Z), *Christ und Welt*, 15. 12. 1967.

Interview: «Ich lese nicht viel», *Schwäbische Zeitung*, 23. 6. 1962.

– «Gruppe 47 eine Clique», *Frankfurter Rundschau*, 13. 9. 1963.

– «Gespräch mit Martin Walser», *Commentarii*, 2, 1964.

– «Das Vokabular der Werbung dumm», *Werbe-Rundschau*, XXIII, 62 (März/April 1964), S. 19–27.

– «Wozu meine Sprache taugt», *Kurfürst*, Bensheim Oktober/November 1964, S. 59–65.

– »Ich schildere eine Sache, wie ich glaube, daß sie sei», *Die Glocke*, XIX, 6 (Juni 1965), S. 6 ff.

– «Die Frau für den Feiertag», *Moderne Frau*, XI (16. Mai 1967), S. 50–52.

– «Zusammenleben will geübt sein», *Bodensee*, 6, Juni 1967, S. 30–33.

– «Die beste aller Ehen», *Abendzeitung*, 6. 12. 1967.

– «Tageszeitung in der Straßenbahn», *Südwestpost*, 23. 4. 1969.

Jenny, Urs, «Schwierigkeiten beim Erlügen der Wahrheit» (L), *Süddeutsche Zeitung*, 3./4. 10. 1964.

– «Das Einhorn», *Weltwoche*, 14. 10. 1966.

– «Windmühlen am Ehehorizont» (Z), *Süddeutsche Zeitung*, 9. 12. 1967.

Jent, Louis, «Ein Virtuose im Kampf mit seinem Instrument» (E), *Zürcher Woche*, 2. 9. 1966.

Joseph, Arthur, *Theater unter vier Augen*, Köln und Berlin 1969. S. 57–62: «Gespräche mit Prominenten».

Jürg, Dr., «Makabre Satire auf das ‹1000jährige Reich›» (EA), *Volksblatt*, 31. 3. 1963, S. 7.

Just, Gottfried, «*Das Einhorn* von Martin Walser», *Bayerischer Rundfunk*, 1. 9. 1966, 1. Programm.

Kaiser, Joachim, «Gerichtstag für Männer» (A), *Süddeutsche Zeitung*, 30. 11. 1961.

– «Die skurrile Welt des Martin Walser» (EA), *Süddeutsche Zeitung*, 25. 9. 1962, S. 14.

– «Anselms Einhorn – Walsers Rausch» (E), *Süddeutsche Zeitung*, 3./4. 9. 1966.

– «Martin Walser fällt sich ins Wort» (F), *Süddeutsche Zeitung*, 19. 3. 1970, Literaturbeilage.

Kanters, Robert, «On tondra toujours les lapins angoras» (EA), *L'Express*, 26. 2./3. 3. 1968.

Karasek, Hellmuth, «Walsers deutscher Wald» (EA), *Stuttgarter Zeitung*, 25. 9. 1962.

— «Überlebensgroß Herr Krott», *Stuttgarter Zeitung*, 22. 11. 1963.

— «Die Zeit und das Zeitstück» (Ü), *Theater heute*, IV, 3 (1964), S. 1–3.

— «Martin Walser als Dramatiker», *Die Zeit*, 23. 10. 1964.

— «Martin Walser» (Al), *Merian*, XX, 4 (April 1967), S. 78.

— «Abschied von der Politik» (i, Z), *Theater heute*, VIII, 9 (September 1967), S. 6–9.

— «Zu Zweit» (Z), *Stuttgarter Zeitung*, 9. 12. 1967.

— «Le jugement d'un critique allemand» (EA), *Bref. Périodique du Théâtre National Populaire*, Januar 1968.

Karsch, Walther, «Eine deutsche Chronik?» (EA), *Tagesspiegel*, 25. 9. 1962.

— «Übungsstück für ein Ehepaar» (Z), *Der Tagesspiegel*, 10. 2. 1968.

Kasper, Klaus, «Kammertest für Eheleute» (Z), *Telegraf*, 10. 2. 1968.

Katz, Anne Rose, «Es reut die Ehe ein bitteres Leben lang» (Z), *Frankfurter Nachtausgabe*, 12. 12. 1967.

Kautz, Ernst-Günter, «Ideologiekritik und Grundlagen der dramaturgischen Gestaltung in Martin Walsers Stücken *Der Abstecher* und *Eiche und Angora*», *Wissenschaftliche Zeitschrift der Humboldt-Universität zu Berlin*, 18, 1969, S. 93–113.

Kesting, Marianne, *Panorama des zeitgenössischen Theaters*, München 1969.

Kiaulehn, Walther, «Die ausgepfiffene Zimmerschlacht» (Z), *Münchner Merkur*, 9. 12. 1967.

Kliemann, Horst G., *Who's who in Germany*, München 1964. S. 1817: «Walser, Martin».

Klaus, Rudolf U., «Kritik, als Praliné serviert» (E), *Kurier*, 17. 2. 1968.

Klugkist, Kurt, «Mit den Augen des Hasses» (EP), *Lübecker Nachrichten*, 10. 11. 1957.

Koch, Marianne, «Nichts als sein Stück im Kopf» (EA), *Bild am Sonntag*, 16. 9. 1962, S. 10.

— «Walser oder Käutner?» (EA), *Bild*, 25. 9. 1962, S. 6.

Köhler, Hans, «Zimmerschlacht und Wiedertäufer» (Z), *Reutlinger General-anzeiger*, 13. 12. 1967.

Kolb, Ingrid, «Die Helden der Zimmerschlacht» (Z), *Münchner Merkur*, 7. 12. 1967.

Königsberger, Otto, «Öppis Gnaus über die Liebe» (E), *Ruhr-Nachrichten*, 1. 9. 1966.

Korn, Karl, «Satirischer Gesellschaftsroman» (EP), *Frankfurter Allgemeine Zeitung*, 5. 10. 1957.

Köster, Heinz H., «dpa-Buchbrief: *Ehen in Philippsburg*», 13. 12. 1957.

Kramberg, Karl Heinz, «*Halbzeit*, von Martin Walser», *Das Schönste*, 9, 1960.

Kreuzer, Ingrid, «Nestroyanisches Pferd in Stuttgart» (Ü), *Frankfurter Hefte*, 19, 1964, S. 133–136.

— (und Günther Penzoldt, Helmut Heißenbüttel, Kurt Hübner, Jörg Wehmeier), «Warum Walser vorbei trifft. Entgegnungen zu Hellmuth Karaseks Verteidigung von Martin Walsers *Überlebensgroß Herr Krott*», *Theater heute*, IV, 4 (1964).

– «Martin Walser», *Deutsche Literatur seit 1945* (Hrsg. Dietrich Weber), Stuttgart 1968, S. 435–454.

Krüger, Horst, «Ein Autor in der Sackgasse» (F), *Die Zeit*, 17. 4. 1970, S. 21.

Kruuse, Peter, «Schlacht im Zimmer» (Z), *Demokrat*, 25. 4. 1969.

Kudielka, Ursula, «Was – Wo – Wie – *Lügengeschichten*», *Kannitverstan*, Tuttlingen Januar 1968, S. 78 f.

Ladewig, Adelheid G., «Martin Walser. *Eiche und Angora*», *Books Abroad*, 137, Sommer 1963, S. 305.

Lattmann, Dieter, «Für Sie gelesen – aus neuen Büchern» (F), *Bayerischer Rundfunk*, 1. Programm, 2. 3. 1970.

Lechner, Dieter, «Ehe als Zimmerschlacht» (Z), *Aachener Volkszeitung*, 9. 12. 1967.

Lederer, Moritz, «Literaturpreis für Martin Walser», *Stuttgarter Zeitung*, 19. 6. 1967, S. 19.

Lehmann, H., «Drei Stunden lang Geschwätz» (Z), *Der Allgäuer*, 9. 12. 1967.

Lemarchand, Jacques, «Chêne et lapins angoras» (EA), *Figaro Littéraire*, 26. 2./3. 3. 1968.

Lennartz, Franz, *Deutsche Dichter und Schriftsteller unserer Zeit* (Neunte, erweiterte Auflage), Stuttgart 1963. S. 734 f.: «Walser, Martin».

Leonhardt, Rudolf Walter, «Liebe sucht eine neue Sprache» (E), *Die Zeit*, 9. 9. 1966, S. 23 f.

– «Love and Death» (E), *Atlas*, 13, Januar 1967, S. 54–56.

Lettau, Reinhard (Hrsg.), *Die Gruppe 47*, Neuwied und Berlin 1967.

Linder, Gisela, «Martin Walser in der Arena» (E), *Schwäbische Zeitung*, 14. 1. 1967.

– «Der ganze Walser lebensgroß auf der Bühne» (Z), *Schwäbische Zeitung*, 22. 11. 1969.

London Times, 21. 12. 1963: «Walser's New Satirical Play» (Ü).

Luft, Friedrich, «Ein Zeitgenosse, der immer zu spät umfällt» (EA), *Die Welt*, 25. 9. 1962.

– «Der Griff in die dramatische Retorte», *Die Welt*, 2. 12. 1963.

– «Vom Theater weit entfernt», *Die Welt*, 19. 10. 1964.

– «Unerbittliche Unterhaltsamkeit» (Z), *Die Welt*, 10. 2. 1968.

Main Spitze, 17. 10. 1966: «Groteske Übertreibung, um zu entlarven» (E).

Marcel, Gabriel, «La vertu d'inquiétude» (EA), *Les Nouvelles Littéraires*, 29. 2. 1968.

Matthijsse, A., «Op hol geslagen gedachten van martin walser» (F), *Het Vaterland*, Den Haag 11. 4. 1970.

Mayer, Hans, *Deutsche Literatur seit Thomas Mann*, Reinbek bei Hamburg 1967. S. 32 f.: «Der Stückeschreiber Martin Walser».

Meckel, Eberhard, «Ein umstrittener Autor» (H), *Badische Zeitung*, 14. 3. 1961, S. 13.

Mennel, Ludwig, «Dann ist das Schreiben absurd» (i), *St. Galler Tagblatt*, 22. 11. 1962.

Michaelis, Rolf, «Schlecht gelogen» (L), *Frankfurter Allgemeine Zeitung*, 26. 9. 1964.

– «Die neuesten Nachrichten aus dem Bett» (E), *Frankfurter Allgemeine Zeitung*, 3. 9. 1966.

Migner, Karl, «Ehen in Philippsburg», *Kindlers Literatur Lexikon*, Zürich 1966, S. 1885.

Mittenzwei, Werner, «Zwischen Resignation und Auflehnung», *Sinn und Form*, 6, 1964.

Moore, Harry T., *Twentieth-Century German Literature*, New York und London 1967.

Moschner, Manfred, «Schwejk mir von Walser» (EA), *Kölnische Rundschau*, 25. 9. 1962.

Mudrich, Heinz, «Tatsächlich, ein Liebesroman» (E), *Saarbrücker Zeitung*, 2. 9. 1966, S. 18 f.

Mühlberger, Josef, «Am Schlüsselloch zu allen Türen» (EP), *Eßlinger Zeitung*, 6. 12. 1957.

Mulder, H. L., «Lit. van het jjar nul» (i), *Tirade*, 4, 267/73.

Müller, André, «Mühsamer Ehealltag» (2), *Deutsche Volkszeitung*, 12. 1. 1968.

– «Die Zimmerschlacht von Martin Walser» (Z), *Theater der Zeit*, 3, 1968.

Müller, Andreas, «Weg vom Alptraum des Kommunismus» (i), *Abendzeitung*, 12. 5. 1970, S. 11.

Müller, Christoph, «Empfindliches Ehegleichgewicht» (Z), *Schwäbisches Tagblatt*, 9. 12. 1967.

Nettelbeck, Uwe, «Meinetwegen ist das schlecht, aber ...» (E), *Die Zeit*, 16. 9. 1966, S. 25 f.

Neue Osnabrücker Zeitung, 25. 3. 1970: «Martin Walser: Fiction».

Neue Rhein-Zeitung, 20. 9. 1966: «Ein Sturzbach aus Worten» (E).

Neue Zeit, 2. 12. 1965: «Die Wahrheit im Narrengewand» (EA).

Neue Zürcher Nachrichten, 6. 5. 1963: «Eiche und Angora, von Martin Walser».

New Statesman, 27. 2. 1960: «New Novels» (EP).

Nöhbauer, Hans F., «Deutschland – ein Walser-Märchen» (H), *Die Kultur*, Dezember 1960, S. 10.

– «Der Anti-Proust vom Bodensee» (E), *Abendzeitung*, 27./28. 8. 1966, S. 7.

Nolte, Jost, «Walsers Maß bleibt das köstliche Unmaß» (E), *Die Welt*, 1. 9. 1966.

– «Aufstand der Kleinigkeiten» (Z), *Die Welt*, 9. 12. 1967.

– «Kampfspiele gegen die Fiktion» (F), *Die Welt*, 19. 3. 1970.

Norddeutscher Rundfunk, 2. Programm, 25. 1. 1965: «Buchbesprechung» (H).

Nouvel Observateur, 21./27. 2. 1968: «L'idiot du village» (EA).

Nürnberger Nachrichten, 11. 12. 1967: «Die Zimmerschlacht, von Martin Walser».

Oliass, Günter, «Ein Buch und eine Meinung» (EP), *Süddeutscher Rundfunk*, 2. 1. 1958.

Paulus, Beate, «Wie sie ‹Dr.› wurden: Martin Walser, Dr. phil.», *Die Zeit*, 19. 12. 1969.

Penzoldt, Günther (und Ingrid Kreuzer, Helmut Heißenbüttel, Kurt Hübner, Jörg Wehmeier), «Warum Walser vorbei trifft. Entgegnungen zu Hellmuth Karaseks Verteidigung von Martin Walsers *Überlebensgroß Herr Krott*», *Theater heute*, IV, 4 (1964).

Periscoop, Januar 1970: «Martin Walser: *Das Einhorn*».

Petzet, Wolfgang, «Komik des verwelkten Triebes» (Z), *Aachener Nachrichten*, 12. 12. 1967.

Pezold, Klaus, «Das literarische Schaffen Martin Walsers 1952–1964» (Diss.), Leipzig 1966.

Pfeiffer, Herbert, «Wie Walser in den Wald ruft ...» (EA), *Morgenpost*, 25. 9. 1962.

Plavius, Heinz, «Kritik, die am Bettuch nagt» (E), *Neue deutsche Literatur*, XV, 1 (1967), S. 142–154.

Poirot-Delpec, B., «Chêne et Lapins Angora» (EA), *Le Monde*, 16. 2. 1968.

Poore, Charles, «Books of the Times» (EP), *New York Times*, 6. 7. 1967, S. 27.

Pörtl, Gerhard, «Die totale Ehevernichtungsschlacht» (Z), *Saarbrücker Zeitung*, 12. 12. 1967.

Price, R. G. G., «New Novels» (EP), *Punch*, 2. 3. 1960, S. 335.

Raddatz, Fritz J., «Wiedersehen mit der Gruppe 47» (über Tagung Gruppe 47), *Neue deutsche Literatur*, Juli 1955.

– «Eine Woche der Brüderlichkeit» (über Tagung Gruppe 47), *Die Kultur*, November 1961.

Raeber, Kuno, «Auf der Suche nach dem Leser» (i), *Das Schönste*, VII, 10 (Oktober 1961), S. 26 f.

Rainer, Dachine, «The New Germans» (EP), *Nation*, 7. 10. 1961, S. 232.

Rappmannsberger, Franz J., «Ein Zimmergeplänkel ohne Belang» (Z), *Echo der Zeit*, 24. 12. 1967.

Reich-Ranicki, Marcel, «Bewältigte Gegenwart? Eine Sendereihe über deutsche Schriftsteller. 6: Martin Walser» (Al), *Norddeutscher Rundfunk*, 7. 9. 1962, UKW.

– *Deutsche Literatur in West und Ost*, München 1963. S. 200–215: «Der wackere Provokateur Martin Walser» (H).

– «Anzeichen einer tiefen Unsicherheit» (L), *Die Zeit*, 18. 9. 1964.

– «Keine Wörter für Liebe» (E), *Die Zeit*, 6. 9. 1966, S. 11.

– *Literatur der kleinen Schritte*, München 1967. S. 70–79: «Martin Walser: *Lügengeschichten* und Heinrich Böll: *Entfernung von der Truppe*». S. 215–224: «Martin Walser: *Das Einhorn*».

– «War es ein Mord?» (Z), *Die Zeit*, 15. 12. 1967, S. 16.

Reindl, L. E., «Eiche und Angora», *Südkurier*, 8. 5. 1963, S. 2.

Reiter, Udo, «Martin Walser auf neuem epischen Gelände» (F), *Schwäbische Zeitung*, 3. 4. 1970.

Richter, Wolfgang, «Operation ohne Narkose» (Z), *Aachener Volkszeitung*, 11. 11. 1968.

Ringelband, Wilhelm, «Martin Walsers Eichenwald» (EA), *Badisches Tagblatt*, 20. 12. 1962.

– «Ehealltag ohne Liebe» (Z), *Aachener Volkszeitung*, 20. 1. 1969.

– «Warum schweigt Martin Walser?» (EA), *Fuldaer Zeitung*, 22. 11. 1969.

Rischbieter, Henning, «Veränderung des Unveränderbaren», *Deutsche Dramatik in West und Ost*, von H. Rischbieter und E. Wendt, Velber bei Hannover 1965.

– «Interview» (EA), *Theater heute*, 11. 11. 1962.

– «Walsers Dialog», *Theater heute*, Januar 1968.

Rismondo, Pietro, «Ein Talent am falschen Platz» (EA), *Die Presse*, 1. 4. 1963, S. 6.

Rode, Heinz, «Die selbstverständliche Unmoral» (EP), *Stuttgarter Nachrichten*, 16. 11. 1957.

Rollett, Edwin, «Zeit ohne Charakter» (EA), *Wiener Zeitung*, 31. 3. 1963, S. 5.

Ross, Werner, «Zimmerschlachten» (Z), *Merkur*, X, 23 (Oktober 1969), S. 959–971.

Salmony, George, «Nach der Zimmerschlacht» (Z), *Abendzeitung*, 9. 12. 1967.

Salzinger, Helmut, «Was nicht geht, geht nicht» (F), *Der Tagesspiegel*, 26. 4. 1970.

San Francisco Sunday Chronicle, 8. 10. 1961, S. 28: «A Prize-Winning Novel» (EP).

Sand, Uwe, «Bloß eine komische Nummer» (Z), *Spandauer Volksblatt*, 10. 2. 1968, S. 7.

Sauereßig, Heinz, *Martin Walser. Bibliographie 1952–1964*, Biberach an der Riß 1964.

– «Knoten im Netz» (über «Mein Riesen-Problem»), *Graphische Blätter*, Darmstadt 1965.

– «Jeder lebt auf seiner Einzelgängerspur dahin» (i, E), *Schwäbische Zeitung*, 14. 6. 1966.

– *Martin Walser. Bibliographie Beiheft 1952–1966*, Biberach an der Riß 1966.

– «Das Einhorn», *Die Bücherkommentare*, 3, Freiburg i. Br. 1966.

– «Ein Roman sucht nach Wörtern für Liebe» (E), *Schwäbische Zeitung*, 6. 9. 1966.

– «Dazu einige Worte ...» (AI), *Wege und Gestalten*, Biberach an der Riß 1969.

– und Thomas Beckermann, *Martin Walser – Bibliographie 1952–1970*, Biberach an der Riß 1970.

– «Monographien über Martin Walser und andere» (AI), *Schwäbische Zeitung*, 22. 9. 1970.

Sauter, Josef-Hermann, «Interview mit Martin Walser», *Neue deutsche Literatur*, XIII, 7 (1965), S. 97–103.

Schärer, Bruno, «Kortners mißlungene Ehe mit Walser» (Z), *Die Weltwoche*, 15. 12. 1967.

Schaumann, Lore, «Für Kabarettisten und Schauspieler» (E), *Rheinische Post*, 19. 9. 1966.

Schlegel, Rolf, «Auf der Suche nach Worten für Liebe» (E), *Soester Anzeiger*, 3. 9. 1966.

Schmitz, Christoph, «Bücherboutique» (E), *Westdeutscher Rundfunk*, 5. 1. 1970, 2. Programm.

Schonauer, Franz, «Bürgerliche Lebensläufe von heute» (EP), *Deutsche Zeitung*, 20. 11. 1957.

– «Das Buch der Woche» (H), *Südwestfunk*, 27. 11. 1960.

Schnurre, Wolfdietrich, «Seismographen waren sie nicht» (über Tagung Gruppe 47), *Die Welt*, 3./4. 11. 1961.

Schroedter, Theodor, «Proklamation der Banalität» (E), *Das Wort*, 23. 10. 1966.

Schroers, Rolf, «Dichter unter sich» (über Tagung Gruppe 47), *Frankfurter Allgemeine Zeitung*, 23. 10. 1953.

Schulte, Gerd, «Kein glücklicher Beginn im Ballhof» (EA), *Hannoversche Allgemeine Zeitung*, 9. 9. 1963.

Schulze-Breustedt, Heidi, «Ein Mann will an einer Frau immer noch bewundern» (i), *Brigitte*, 24. 10. 1967, S. 206–212.

Schwab-Felisch, Hans, «Dichter auf dem ‹elektrischen Stuhl›» (über Tagung Gruppe 47), *Frankfurter Allgemeine Zeitung*, 1. 11. 1956.

Schwäbische Zeitung, 6. 7. 1957: «Zeitkritischer Roman soll nicht die Schuldfrage stellen» (EP).

– 2. 2. 1961: «Martin Walsers rascher Aufstieg» (Al).

– 17. 12. 1966: «Begegnung mit Martin Walser» (E).

– 6. 5. 1969: «Eines Schriftstellers liebstes Kind» (Z).

Schwemin, Werner, «Eiche und Angora», *Berliner Zeitung*, 6. 11. 1965.

Seidenfaden, Ingrid, «Kein Sieg in der Zimmerschlacht» (Z), *Hannoversche Allgemeine Zeitung*, 13. 12. 1967.

Sellenthin, H. G., «Martin Walser, der Nationalsozialist und die Kritik» (EA), *Die Mahnung*, IV, 21 (1. 11. 1962), S. 6 f.

Sello, Katrin, «Martin Walser: *Das Einhorn*», *Neue deutsche Hefte*, XIV, 113 (1967), S. 127–134.

Seyfarth, Ingrid, «*Eiche und Angora* von Martin Walser», *Theater der Zeit*, XX, 23 (1./15. 12. 1965), S. 30.

Siedler, Wolf Jobst, «Über eines schreiben unsere Literaten nicht – über Literaten» (H), *Der Tagesspiegel*, 18. 12. 1960.

Siegel, Klaus, «Gesprek met Martin Walser» (i), *Litterair Paspoort*, XXII, 208 (August/September 1967), S. 145–157.

Siegener Zeitung, 20. 3. 1970: «*Fiction*, von Martin Walser».

Silex, Karl, «Versuch einer Gesellschaftssatire» (EP), *Die Bücherkommentare*, 20. 11. 1957.

Slonim, Marc, «Three German Books» (über *Vorleben*), *New York Times Book Review*, 13. 10. 1968, S. 45.

Spiegel, 27. 11. 1957: «Neu in Deutschland: *Ehen in Philippsburg*».

– Nr. 40, 1962, S. 91: «Walser-Premiere: Wo man singt» (EA).

– Nr. 7, 1964, S. 9 f.: «Leserbriefe zu *Halbzeit*».

– 11. 12. 1967: «Übung für ein Ehepaar» (E).

Spiel, Hilde, «Die Wiener Zimmerschlacht» (Z), *Frankfurter Allgemeine Zeitung*, 21. 2. 1969.

Spielberg, Peter, «Martin Walser: *Beschreibung einer Form*», *Books Abroad*, XXXVII, 2 (Frühjahr 1963), S. 176.

Sprecher, Margrit, «Wörter für Liebe» (i), *Elle*, Mai 1967, S. 53 ff.

Stauch-v. Quitzow, Wolfgang, «Die Zimmerschlacht», *Sonntagsblatt*, 17. 12. 1967.

Stephan, Charlotte, «Junge Autoren unter sich» (über Tagung Gruppe 47), *Der Tagesspiegel*, 17. 5. 1955.

St. Galler Tagblatt, 4. 9. 1966: «Kein Hohes, eher ein Genaues Lied» (E).

Stolze, Eva, «Komm auf den Teppich, Schätzchen» (Z), *Berliner Zeitung*, 10. 2. 1968.

Stuart, Lotte, «Die versauerte Ehe» (Z), *Vorwärts*, 4. 1. 1969.

Stuttgarter Nachrichten, 30. 1. 1961: «Halbzeit-Proben» (H).

Stuttgarter Zeitung, 28. 1. 1961: «Der Satiriker Martin Walser» (H).

Südkurier, 4. 7. 1957: «Hermann-Hesse-Preis für Martin Walser».

Suhrkamp, Peter, *Briefe an die Autoren*, Frankfurt/M. 1961. S. 123–127: «An Martin Walser».

Sunday Times, 21. 2. 1960: «The Gadarene Club» (EP).

Tages-Anzeiger, 4. 5. 1963: «Zeiten der Anpassung» (EA).

Tailleur, Jean, «Eros, amour et best-seller» (E), *Lettres françaises*, 31. 12. 1969, S. 2.

Tank, K. L., «Liebe läßt sich nicht beschreiben» (E), *Welt am Sonntag*, 28. 8. 1966.

– «Orli am Ellenbogen und anderswo» (E), *Sylt, Weihnachtskurzeitung*, 1966, S. 634 f.

Tat, XXX, 297 (17. 12. 1965), S. 39: «Martin Walser: *Erfahrungen und Leseerfahrungen*».

Thomas, R. Hinton und Wilfried van der Will, *The German Novel and the Affluent Society*, Manchester 1968. S. 86–111: «Martin Walser».
(Übersetzt von Hansheinz Werner: *Der deutsche Roman und die Wohlstandsgesellschaft*, Stuttgart 1969.)

Thüringer Tageblatt, 19. 10. 1965: «Eiche und Angora, von Martin Walser».

Times, 21. 8. 1963, S. 6: «German Play Portrays Nazism without Cant» (EA).

Times Literary Supplement, 4. 3. 1960, S. 149: «Breaking-point and Beyond» (EP).

– 28. 4. 1961, S. VI: «Theme and Variation» (H).

– 21. 11. 1963, S. 945: «Over the Language Barrier» (EA).

– 8. 9. 1966, S. 800: «Varieties of Love» (E).

Torberg, Friedrich, «Walser, Martin: *Beschreibung einer Form*», *Das Argument*, 3, Juni 1966, S. 235 f.

Trewin, J. C., «Stern Work» (EA), *Illustrated London News*, 14. 9. 1963, S. 398.

Trommler, Frank, «Walser, M.», *Kleines Handbuch der deutschen Gegenwartsliteratur* (Hrsg. Hermann Kunisch), München 1967, S. 523–526.

Tynan, Kenneth, «Rise and fall of a political innocent» (EA), *The Observer Weekend Review*, 25. 8. 1963.

Uhlenhorst, Olaf, «Die Ehen in Philippsburg – drei Jahre später» (H), *Deutsche Zeitung und Wirtschaftszeitung*, 21. 1. 1961.

Unger, Wilhelm, «Die Unterhosen altern nicht» (Z), *Kölner Stadtanzeiger*, 11. 12. 1967.

Vallenthin, Wilhelm, «Ist Martin Walser naiv?» (Al), *Der Spiegel*, 14. 9. 1970, S. 214.

Vetter, Werner, «Anselm Kristleins Kampf mit den Wörtern» (E), *Badische Zeitung*, 1. 9. 1966.

Vielhaber, Gerd, «Unbewältigte Vergangenheit auf der Bühne» (EA), *Rheinische Post*, 25. 9. 1962.

Vogel, Manfred, «Faule Eiche, diesmal veredelt» (EA), *Hamburger Echo*, 10. 4. 1963.

Vogelsang, Fritz, «Das vollkommene Alibi» (E), *Stuttgarter Zeitung*, 3. 9. 1966, S. 76.

Vormweg, Heinrich, *Die Wörter und die Welt*, Neuwied und Berlin 1968. S. 92–97: «Martin Walser oder Die wortgewaltige Sprachlosigkeit» (E).

Wehmeier, Jörg (und Ingrid Kreuzer, Günther Penzoldt, Kurt Hübner, Helmut Heißenbüttel), «Warum Walser vorbei trifft. Entgegnungen zu Hellmuth Karaseks Verteidigung von Martin Walsers *Überlebensgroß Herr Krott*», *Theater heute*, IV, 4 (1964).

Wellershoff, Dieter, «Der Schriftsteller und die Öffentlichkeit. Martin Walsers politisierende Aufsätze» (HA), *Frankfurter Allgemeine Zeitung*, 12. 11. 1968.

Weltwoche, 10. 5. 1963, S. 26: «Eine deutsche Chronik» (EA).

Welzig, Werner, *Der deutsche Roman im 20. Jahrhundert*, Stuttgart 1967. S. 251–253: «Martin Walser».

Werth, Wolfgang, «Die zweite Anselmiade» (E), *Der Monat*, XVIII, 216 (September 1966), S. 81–87.

– «Buchbesprechung: Martin Walser, *Fiction*», *Westdeutscher Rundfunk*, 28. 2. 1970, 3. Programm.

– «Schwierigkeiten mit dem Ich» (F), *Der Monat*, XXII, 258 (März 1970), S. 106–109.

Weser-Kurier, 31. 10. 1957: «Ausgezeichneter Stil» (EP).

Wiegenstein, Roland H., «Gerichtstag über feine Leute» (EP), *Frankfurter Hefte*, 5, 1958.

Wieser, Theodor, «Zeitgenosse Anselm Kristlein» (H), *Das Wort*, Januar 1961.

Wild, Winfried, «Herumhampeln auf der spießigen kleinen Nummer» (Z), *Schwäbische Zeitung*, 9. 12. 1967.

Williams, David, «New Novels» (EP), *Time and Tide*, 12. 3. 1960, S. 288.

Wimmer, Ernst, «Literatur, die nicht Dekoration sein will» (E), *Volksstimme*, 17. 2. 1968.

Wintzen, René, «L'Allemagne à la recherche d'une meilleure conscience» (Al), *Témoinage Chrétien*, 29. 2. 1968.

Wollenberger, Werner, «Der brave Zivilist Schwejk» (EA), *Zürcher Woche*, 10. 5. 1963, S. 5.

Ziegler, Karl Kurt, «Wieder um eine Hoffnung ärmer» (EA), *Westfälische Rundschau*, 25. 9. 1962.

Zinn, Alfred, «Ein verliebtes Spiel mit der Sprache» (E), *Rüsselsheimer Echo*, 17. 10. 1966.

135

Inhalt